페이크

－진짜같은 가짜이야기

머리말

필자의 연작소설집이라 할 수 있는 젊은날 사랑과 기억, 슬픔
과 방황에 관한 이야기가 주를 이루고 있다. 연애프레임속에
삶의 다양한 요소를 넣어 타인과 관계의 속성을 그려내고자 하
였다.

박순영지음
2024.2

지은이

박순영

방송작가/소설가/ 카카오 브런치스토리 작가/1인출판 <로맹>
대표

소설집 <엑셀>
소설집 <응언의사랑>

한국외국어대학교 영어과졸업
성균관대학교 대학원 비교문화전공 문화학 석사

머리말
지은이

차례

판권

<페이크>

선희는 정말 오랜만에 해경을 만나기로 하고는 마치 남자와 데이트라도 잡힌 양 가슴이 두근댄다... 둘은 대학 4년 내내 붙어다녔고 해경이 4학년때 인턴으로 먼저 입사한 뒤 아직도 학생신분을 벗어나지 못한 자신에게 용돈까지 주던 사이였다.

선희는 대학을 졸업하고도 제대로 된 직장을 구하지 못하고 아르바이트를 전전하다 지금의 남편 윤수를 만났다. 그의 편의점에서 아르바이트를 하다 눈이 맞았고 혼전 임신을 해서 당시여자가 따로 있던 윤수를 어렵사리 설득해서 결국 결혼에 이르렀다.
결혼 전에는 툴툴대던 윤수도 딸 정아가 태어나자 이뻐서 어쩔줄을 몰라하며 선희에게도 점차 마음을 열어갔다.
그런가 하면 해경은 직장을 몇번 옮기더니 자신이 직접 회사를차려 지금은 비록 규모는 작지만 어엿한 ceo가 돼있다.

둘 사이에 사회적 레벨 차이가 난다 해도 둘은 20대 초반, 생의 황금기를 같이 보냈기에 어쩌다 만나면 다시 그때로 돌아가스스럼없이 농을 하고 아이처럼 즐거워했다. 그러다 해경이 짧은 결혼생활을 마무리하고 돌싱으로 돌아 왔을때 선희는 마치제 일인 양 안타까워했다.
"너 괜찮아 진짜?"

해경은 이른바 사기 결혼을 당했다. 상대는 자칭 사업가였고 연애시절,입이 떡 벌어질 만큼의 선물 공세를 했고 그런 남자의 경제력을 해경은 의심하지 않고 결혼해서 허니문 베이비를 가졌다.

하지만 그러고 한달도 안돼 집에 빨간딱지가 붙게 되었고 남자의 사채 빚이 수억에 달한다는 걸 알고는 아이부터 지우고 그녀는 이혼을 선택했다. 한동안 사람 만나기를 꺼려하면서도 선희에게만은 간간이 연락을 하곤 했다. 그러다 언제부턴가 그마저도 끊어졌다.

그런 해경이 오랜만에 연락을 해와 저녁을 같이 하자고 한다. 선희가 설레하는 걸 본 남편 윤수는 "해경씨 만나러 가는거 맞아? 남자 아니고?"라며 비아냥거리기까지 하였다.

누구에게나, 어떤 상황이었건 20대 초반의 시기는 생의 황금기였다. 그 시기를 공유했다는 건 일종의 축복이라 여기며 선희는 해경과의 만남을 기대한다. 그리고는 해경이 좋아하는 모카케익을 사들고 택시에 오른다. 뒤에서는 아빠에게 안긴 딸 정아가 그 작고 통통한 손으로 손을 흔들어보인다.

비록 이혼녀가 되긴 했지만 해경은 당당히 ceo가 되었고 선희는 딸을 둔 안정된 가정생활을 하고 있다. 이만하면 둘 다 나쁘지 않게 살아낸 것이라 생각하고 그녀는 해경과 만나기로 한 모교근처 레스토랑으로 향했다.

"이게 얼마만이야"

둘은 누가 먼저랄 것없이 호들갑을 떨며 서로를 반겼다. 선희가 모카케익을 내밀자 "고마워""라며 해경은 혀를 꼬기까지 하였다.

둘은 보지못한 시간 속에 서로에게 일어난 일들을 침을 튀겨가며 털어놓았다. 해경은 현재 홍콩에서 사업차 만난 현지 남자와 목하 열애중이라고 얘기했다.

"국제결혼?"

선희는 두눈을 크게 뜨고 설레발을 쳤고 해경은 "아직 몰라"라면서도 이미 자신의 왼쪽 약지에 끼워진 반지를 살짝 보여줬다.

"축하해"라며 선희는 샴페인을 추가로 주문했다.

"근데...할 얘기가 좀 있어" 라는 해경의 말에 선희는 살짝 긴장을 한다.

"저기...한 3개월만 쓰고 돌려줄게. 1억, 안될까? 너희 가게, 그러니까 그거 담보로 대출 받으면" 이라는 말을 해경은 사전에 연습이라도 한 양 술술 내뱉는다.

1억....

둘 사이에 돈 얘기가 오간 건 처음이다. 하지만 대학 시절, 먼저 취업한 해경이 용돈이라며 선희에게 쥐어주던 그 돈이 있지 않은가,...그것도 일종의 빚이라면 빚인데 언젠가는 갚아야 한다는 생각을 늘 해온 선희다. 하지만 1억은 결코 적은 금액이 아니고 남편과 상의해야 할 일이다...

"1억은 좀..."

선희가 난감해하자 해경의 얼굴은 금방 시니컬해지며 "어렵지 뭐...내가 괜한 얘길 했네"라며 뻘쭘해 하면서 놓여있는 샴페인을 마셨다.

그 말을 전해 들은 선희의 남편 윤수는 단번에 "끊어 그 관계" 라며 돈을 대출받을 마음이 전혀 없어 보인다. 하지만 선희는 몇날며칠 남편을 설득해 결국 1억을 대출받아 설레는 마음으로 해경에게 전화를 걸었다. 그러자 그녀는 마침 급한 상황이었다 며 지금 당장 자기 계좌로 입금을 해달라고 하였다 .그렇게 해 서 돈 1억은 해경의 계좌로 이체되었다.
"3개월 뒤엔 꼭" 이라고 선희가 운을 떼자 "알았어 기집애. 염 려마"라며 해경은 전화를 끊는다.

그러나 이후 해경의 전화번호는 결번으로 나오고 애서 찾아낸 그녀의 아파트에 선희가 갔을 때 해경은 이미 이사하고 난 뒤 였다. 그러다 옛동창들에게 전화를 돌리던 선희는 기함할 소식 을 전해 듣는다. 동창들에게도 해경이 수시로 돈을 가져가서는 갚지 않았다는 것이다. 해서 그녀들이 단체로 '소송'을 언급하 자 '니들 차용증도 없잖아'라며 상대는 뻔뻔하게 나왔다고 했 다.

그 소식을 전해 들은 선희는 두 다리에 힘이 풀려 그 자리에 주저앉고 만다...
상황을 파악한 남편 윤수가 아무말 없이 선희를 부축해 일으켜 소파에 눕힌다. 선희는 과호흡이 와서 숨도 제대로 쉬지 못한 다. 윤수가 119에 전화를 걸려 하자 선희는 그를 제지한다. 그 러는데 눈물이 주르룩 흘러내린다. 그렇게 믿었는데...푼돈이나 마 월급 받았다고 자기 손에 돈을 쥐어주던 해경이 이렇게 뒤 통수를 칠 줄이야.....

그러는데 그녀의 다리 밑으로 피가 흘러나온다. 아직 남편에게
조차 말하지 않은 둘째 임신이 물거품이 되는 순간이었다.

<그녀 해수>

규원은 자신이 잘못 본 거라고 생각한다. 그러면서도 자꾸만 뒤돌아본다. 담배를 사러 거의 매일 드나들던 편의점을 며칠 거른 사이 아르바이트생이 바뀐 듯하다. 이번에는 여자다. 보통은 밤샘 근무를 하는터라 남자를 쓰기 마련인데 이번엔 여자가 카운터를 지키고 있다. 그런데 그 옆모습이 눈에 익다.... 그는 왠지 편의점 문을 밀고 들어가기가 망설여진다. 생각해보니 집엔 전자담배도 있고 해서 오늘은 그냥 지나치기로 한다.

하지만 규원은 집에 와서까지 카운터 그녀의 옆모습이 계속 아른거린다. 설마..
"여보, 저녁은?"
아내 난희가 주방에서 손의 물기를 닦으며 묻는다.
"좀 줘...라면 없나?"
"왜 라면을 먹어. 순두부 끓였어"라며 그녀는 맞춤하게 덥혀진 순두부찌개와 몇가지 반찬을 식탁에 늘어놓는다. 수북한 공기밥을 보자 규원은 웃음이 나온다.
"웬 머슴밥?"
규원이 싫지 않은 타박을 하자 난희는 기분이 좋은지 규원의 정수리에 살짝 입을 맞추고 거실로 나간다.

규원과 난희는 둘 다 재혼이었다. 규원은 결혼 3년만에 상처했고 난희는 전남편의 계속된 외도끝에 이혼한 케이스였다. 둘은 이른바 '돌싱까페'에서 만났다. 서로의 통성명이 끝나고 대략 서로의 사정이야기가 오간 다음 규원은 '이 여자다'싶은 감이 와서 용기를 내서 난회에게 사귀자고 하였다. 난회는 잠시 주저하더니 마침 사는 곳도 서로 멀지 않고 하니 사거리 까페에서 보는게 좋겠다고 대답했다.

그렇게 만난 둘은 서로에게 강하게 끌렸고 그로부터 반년도 되지 않아 혼인신고를 했다. 규원에겐 전처가 남긴 아들이 하나 있지만 아내가 죽고 난 뒤 남자 혼자 키우기 어려울 거라며 처가에서 아이를 데려갔다... 규원은 내심 짐을 던듯한 기분이었지만 차마 내색할 수는 없었고 난회는 한번의 유산 끝에 이혼한 케이스라 둘다 홀가분한 처지였다.

그렇게 밖에서 처음 본 그날, 규원은 난회를 자신의 방으로 데려갔고 수북이 방을 채운 책들을 보며 난회는 벌어진 입을 다물지 못했다.
"작가님 방은 역시 다르네요"
그 당시 규원은 그 돌싱까페에 '재혼해도 고독할까"라는 우리 사회 다양한 결혼문화를 쓰고 있었고 그렇게 조금씩 이혼녀들의 인기를 얻어갈 즈음 난회를 만난 것이다.

그렇게 해서 둘은 그날밤을 같이 보냈다. 이 여자라면 괜찮겠다는 생각이 규원의 머릿속을 스쳐갔다. 아이없는 젊은 이혼녀, 안정된 직장, 수준급 외모, 사근사근한 말투와 외모, 이 모든게 예전 해수와는 판이했고 그래서 더더욱 끌렸다. 이 여자정도면 여생을 같이 보내도 좋겠다는 생각이 들었고 이후 모든 건 빠르게 진행돼 결국 결혼에까지 이르렀다.

해수는 난희와는 정반대, 아니 그리 고부고분한 여자는 아니었다. 어느정도 자기주장도 있고 그래서 서로 자주 싸우기도 했고 한번 돌아서면 먼저 화해를 청하는 법이 없는 싸늘한 구석이 있는 타입이었다. 하지만 무명기의 규원을 먹여살려준 여자였다. 생계며 용돈, 지방 강연이라도 잡히면 차 기름값까지 대주던 조강지처같던 여자... 규원은 그런 해수가 싫지는 않았지만 어쩐지 배우자감이라는 생각은 들지 않아 언제부턴가 섹스는 피하려고 했고 그것으로 갈등을 자주 빚었다.

"나 왜 보는 거야? 돈 때문에? 당신 이러다 돈좀 벌고 유명해지면 나 버리겠다?"

이런 말까지 해수는 스스럼없이 해댔다. 그러는 그녀가 규원은 마땅치 않았고 그렇게 둘 사이엔 거리가 생겨났다.

"남자 여자가 꼭 섹스로만 연결되니"라고 아무리 그가 항변을 해도 영리한 해수는 말려들지 않았다.

"나랑 나중에 살아, 안살아?"

그렇게 그녀는 극단적 질문까지 쏟아내게 되었다.

그렇게 둘이 대판 싸움을 벌인 날 그녀의 미장원을 박차고 나오던 순간, 규원은 대상 소식을 전해들었다. 남도에서는 제법 큰 문학상으로 회자되는 그 상의 대상으로 자신의 소설이 뽑혔다는 내용이었다. 상금도 적지 않았고 이번이 마지막이라는 심정으로 응모한게 대상을 안겨준 것이었다. 이런 걸 꿈꾸는 기분이라고 하는 걸까... 그리고는 얼른 해수에게 이 소식을 알려야겠다는 마음에 돌아서 미장원 유리문 손잡이를 잡는 순간, 무언가가 그의 발목을 잡았다. 지금 알리면 상금은 물론 자신의 남은 삶 자체가 해수의 손에 떨어져버린다는 사실이었다. 그는 혹시나 유리너머로 해수가 자신을 보기라도 할까, 그 길로 자신의 옥탑으로 냅다 달렸다. 그렇게 그는 그녀로부터, 그

녀의 부양으로부터 도망쳤다. 그녀가 대준 그 많은 돈을 한푼
도 갚지 않고...

뒤늦게 그의 대상 소식을 알게 된 해수가 그에게 연락을 해왔
지만 그는 수신차단을 했고 시상금으로 방부터 옮겼다.. 그리고
는 그녀의 이메일이며 메시지를 모두 차단했다. 그렇게 흐른
세월이 한참이다... 어떤 땐 그녀의 얼굴조차 기억나지 않았다.
결국은 해수의 말처럼 된것이다. 어느정도 원하는걸 갖고 나
서는 자기를 버릴것이라던...

이후 그는 크고작은 문운이 트여주면서 제법 명예와 돈도 쥐게
되었고 그러다 여자 생각이 나서 들어가본 게 그 돌싱까페였
다. 거기서 난희를 만난 것이다.

난희가 끓인 순두부찌개는 매콤하니 먹을만했다. 난희는 거실
에서 회사 일을 하는 모양이다. 자판 두드리는 소리가 주방까
지 들려온다...
설마 아니겠지...미장원에서 본것도 아니고 편의점이면...설마
해수는 아니겠지....규원은 머리를 저으며 조금전 편의점 유리
너머의 카운터 여자를 머릿속에서 지워버리려 애를 쓴다.

다음날 규원이 편의점을 지나칠 무렵, 카운터의 그녀는 등을
보인채 매대를 정리하고 있다. 뒷모습의 그녀는 좀 부한 실루
엣이다. 해수는 말랐었지. 저렇지 않았어...규원은 편의점 유리
문을 밀다 다시 멈칫한다. 그동안 흐른 세월이 얼만가 .나이 들

면 몸도 붇고....그런 일련의 생각과 추측들이 그를 다시 편의점 밖으로 내몬다.

그렇게 자기 서재로 들어온 그가 장의자에 몸을 누이는데 왼쪽 가슴에 통증이 느껴진다. 그리고는 그는 의식을 잃는다.
그가 눈을 뜬곳은 k대병원 응급실이다. 방에 쓰러져있는 자신을 발견한 아내 난희가 119를 불렀으리라. 일단 응급처치를 받은 뒤 추가 검사를 위해 그는 일반 병동으로 옮겨졌고 거기서 심근경색이라는 진단을 받고 스텐트 시술에 들어갔다.
"담배 끊으셔야 돼요. 안그럼 죽어요"라며 이제 쉰이 조금 안돼보이는 시술복 차림의 담당의가 질책한다. 시술실 밖에는 불안해하며 서성이는 난희가 보인다...

한동안은 절대 안정이 필요하다는 주치의에게 고맙다는 인사를 여러번 한 뒤 그는 난희가 운전하는 차에 타서 집으로 향한다...
난희는 언제나처럼 편의점 앞 도로를 지나치려 한다.
"길좀..."
"응?"
"아니...꼭 이길로 가야돼?"
"새삼...맨날 다니던 길인데"하며 난희는 그의 말을 무시하고 차를 골목으로 넣는다.
그때 편의점 문이 열리며 '그녀'가 나온다. 분명 해수였다. 예전보다 몸이 좀 불어나긴 했지만 분명 해수였다...

규원은 왼쪽 가슴을 움켜쥔다.
"또 아파?"

놀란 난희가 급정거를 하며 물어온다.
"아냐..그냥...가자 얼른" 하며 그가 재촉을 한다.

그때 해수가 이쪽으로 방향을 트는게 보인다. 규원은 사지가 떨려온다.
해수가 뚜벅뚜벅 자신을 보며, 아니, 그렇게 느껴지는 눈길을 보내며 이쪽으로 다가온다.
둘의 눈이 허공에서 마주친다....모든게 끝났어. 그녀로부터 도망쳤다 생각했는데 그게 아니었어...이런걸 천벌이라고 하는거구나....규원은 고개를 떨군다...그러나 그 순간, 그녀   해수는 그가 타고 있는 조수석   옆을 지나쳐 건너편 약국으로 들어간다. 아마도 약을 살 게 있어 잠시 편의점을 나온 거 같다.
"빨리 가"라며 규원은 난희를 채근한다.
"당신 이상해 오늘..." 하며 난희가 차를 몬다.
난희의 차가 약국을 스치는 동시에 해수가 약을 사들고 약국에서 나온다. 규원의 온몸은 이미 땀으로 뒤범벅돼 있다...

"어떻게 된거야. 미장원은"
연이틀 계속해서 해수에게 쫓기는 꿈을 꾼 뒤 규원은 등 떠밀리듯 그 편의점으로 향했고 맞아 죽어도 할 수 없다는 심정으로 카운터를 지키고 있는 해수에게 말을 걸었다.
그러나 해수는 "손님 무슨 일이신데 그러세요"라며 그를 낯설어한다. 그런 그녀의 반응에 규원은 주춤한다. 그 순간, "여보" 하고 부르는 남자의 목소리가 들려온다. 그리고 그 남자는 카운터의 해수에게로 온다.
"얼른 가서 밥 먹어"라며 남자는 해수의 유니폼을 벗겨준다.
해수는 넋이 나간 규원을 일별하며 편의점 유니폼을 벗고 "금방 올게"라며 남자와 눈을 맞추고 나간다..

"저기요..."
규원이 식은땀을 흘리며 카운터 남자에게 묻는다.
"저분 혹시 성함이..."
"와이프요? 저사람, 자기 이름도 모릅니다."
"네?"
"길거리에 쓰러져있는 걸 제가 발견했어요. 기억상실이라고 하
더군요 병원에서"
규원의 몸이 휘청거린다.
"아마 심한 트라우마를 겪었을거라고 의사가 말했는데..."
규원은 얼결에 만원짜리 한 장을 놓고 편의점을 뛰쳐나온다.
이상하게 여긴 해수의 남편이 "손님!"하며 따라 나오지만 규원
은 도둑질하다 들킨 사람처럼 있는 힘을 다해 그로부터 달아
난다.

바람이 차다..
봄바람치고는 아직은 겨울을 담은 바람이다...

<그녀의 선택>

주혁은 윤서에게 이혼서류를 내민다. 보통 연속극에서나 나올 법한 대사가 나올거라고 그녀는 예상하지만 주혁은 아무 말이 없다.

"꼭 이래야 돼? 우리가 애 낳고 산게 몇년인데"
그러자 주혁은 "니가 더 망가지기 전에 놔주고 싶어"라며 갈급 해한다.

주혁에게 여자가 생긴걸 안 지는 석달 조금 넘었다. 둘이 가 까워진 건 사내 야유회가 계기가 된듯하다. 같은 부서에 근무 하면서 선후배로 서로 챙겨주다 생겨난 감정이리라....

"내가 영은씨 한번 만나볼까?"
이번에는 윤서가 애원하는 얼굴로 주혁에게 묻는다.
"꼭 영은이 때문은 아냐. 그냥...당신하고는 이제 더는 안될 거 같아. 아무 감정이 없어 당신을 안아도"

윤서는 더이상 매달려봤자 소용없다는 걸 새삼 느낀다. 그러자 2년의 연애 끝에 혼전임신을 해서 서둘러 한 결혼이 후회스럽 기만 하다. 그즈음, 주혁은 이미 서서히 그녀에게서 멀어지고 있었는데 ..임신만 아니었으면 윤서도 다른 남자를 만날 기회가 있었을텐데, 하는 아쉬움, 원망이 스멀스멀 안에서 기어올라 온다.

"하루만 줘. 내일 결정할게"
윤서가 더 이상 매달리지 않자 주혁도 긴장을 풀며 그녀의 청
을 들어주는 눈치다.
"그럼 내일 이 시간 여기서..."라며 주혁은 먼저 까페에서 나간
다. 그리고는 출입문 쪽으로 향하다 돌아서서, "운전 조심해.
길 미끄러워"라고 한다.

서영은이라는 그 후배만 나타나지 않았어도 주혁과 윤서는 아
들하나 딸 하나를 둔 다복한 부부로 계속 살아갔을 것이다. 그
런데 그녀가 출몰하면서 모든 게 틀어졌다. 주혁은 정신없이
그녀에게 빠져드는 눈치였고 자다가도 그녀의 전화가 걸려오면
주섬주섬 옷을 주워입고 , 매달리는 윤서를 뿌리치고 뛰쳐나갔
다.

'그래, 이제 그런 꼴 그만 보게 된 거야'라며 윤서도 남은 커피
를 마시고 자리에서 일어난다. 그때 컬러링이 울려댄다. 누구
지?

해주 역시 결혼 1년만에 남편의 외도로 이혼하고 현재는 학습
지 교사를 하면서 어린 딸과 근근이 살고 있다. 윤서는 그런
해주를 본 지도 한참됐다는 생각이 든다.
해주는 그날 마침 저녁 수업까지 짬이 나서 연락을 했단다.
윤서는 머뭇거리다 해주라면 어디 가서 떠벌리지도 않을것 같
고 설령 그런다 한들 뭐 어떠랴는 심정이 돼서 속내를 털어놓

았다.

"그러면 갈라서. 깨끗하게"라며 해주는 단호하게 반응한다.

"혼자 산다고 다 미저러블하진 않아. 좀 싱글로 지내다 다른남자 만나"라고 하며 해주는 윤서의 결단을 내심 부추겼다.

그래, 헤어지자...

다른 것도 아니고 다른 여자가 좋다는데...더이상 내게 어떤 감정도 없다는데 헤어지자...하고 윤서는 주혁과 이혼하기로 마음을 먹는다.

그순간, 해주의 전화벨이 요란하게 울려댄다. 따로 컬러링을 쓰지 않아 , 날것 그대로의 벨소리가 여간 거슬리는게 아니다. 해주는 민망한지 상체를 반쯤 돌려 전화를 받는다. 마치 죄지은 사람처럼...

"네 어머니....아...학원으로 돌리신다구요...그런데요 어머니...잠시만요"하고는 윤서에게 양해를 구하고 해주는 밖으로 나가서 전화를 받는다.

보아하니 학습지 과외를 끊겠다는 학부모의 전화인 거 같고 해주는 그러지 말아달라고 애원을 하는 것 같다...유리벽 너머로 찬바람이 쌩하니 불어대자 해주의 가녀린 스카프가 바람에 휘날린다...생존을 위한 몸부림...그러자 대학시절 여신처럼 빛나던 해주가 떠오른다. 매사에 당당하고 나이브했던 그녀 해주.

윤서는, 주혁과 헤어지면 당장 자신에게 벌어질 일을 예고편처럼 보고 있다는 생각이 든다.

그녀는 잠시 숨을 고른다. 그리고 해주가 돌아오기도 전에 마음을 굳히고 까페를 나간다.

주혁이 이번 자기 생일날 사준 외제차를 몰면서 해주를 지나칠 즈음에야 해주는 윤서를 알아보고 , 어? 하는표정이 된다.

"나 윤주혁씨 안사람입니다"
그길로 주혁의 회사로 찾아가 서영은을 만난 윤서는 여유있는 자의 미소를 지어보이며 말한다. 영은은 금세 풀이 죽어 어쩔 줄을 몰라한다.
"아직 남편한테도 얘기 안했는데 나, 셋째 가졌어요"
그 말에 영은의 얼굴이 파리하게 변한다...

"당신 그거 진짜야? 임신? 요즘 우리가 같이 잤나?"
영은에게 그 얘길 전해들은 주혁은 , 자신의 오피스텔 대신 집으로 달려와서 윤서를 다그친다.
"생리가 없어...."
"그렇다고 다 임신이야? 당신 원래 불규칙하잖아"
"여보...나, 당신 애를 둘이나 낳고 셋째도 낳을 여자야"라며 그녀는 표정을 지어보인다.
"내일 우리 이혼하기로..아니, 아까까지 그런 얘긴 없었잖아..."
"나도 몰랐어 .당신이랑 헤어지고 나서야.."
그런 윤서를 한참을 쏘아보던 주혁은 방금 벗어던진 윗옷을 다시 집어들며 밖으로 뛰쳐나간다.

돌아올거야..
자기 애가 들어섰다는데...하면서 윤서는 조만간 꼭 임신을 해야겠다 마음먹는다. 그리고는 뛰쳐나간 주혁의 몫까지 밥상을 차리는데 문득, 찬바람 부는 거리에서 학부모에게 학습지를 끊지 말아달라고 애원하던 해주의 모습이 스쳐간다....그러다 윤서는 고개를 저으며 주혁이 좋아하는 부대찌개 맛을 본다. 맞춤하니 칼칼하고 맛이 있다.

<나비의 집>

잘못 배달된 택배꾸러미를 보면서 수경은 이걸 어쩌나 고민에 빠진다. 요즘은 택배를 잘못 받으면 그냥 문 앞에 놔두는게 상책이라는 글을 어디선가 읽은 기억이 난다. 자칫, 원래 수신인에게 갖다주거나 오배송된 택배를 치우거나 하면 절도범으로 몰릴 수 있다는 내용이었다. 잘못 배달된 물품을 주인에게 갖다주어도 절도범으로 몰릴수 있는 현실이 개탄스러웠지만 그럴 수도 있다는 데야...

해서 그녀는 오배송된 택배를 자기 현관 앞에 다시 내려놓는다. 그리고는 현관을 들어서는데 뒤에서 철문이 둔탁하게 쾅 소리를 내며 닫힌다. 닫힘세기조절 장치를 손봐야 하는데 일단 그녀의 키가 닿지를 않았고 어떻게 해야 하는지도 모른다. 작년 이맘때, 상우가 손 봐준 이후 한동안 자동으로 제어되던 문닫힘 속도가 언제부턴가 다시 원상으로 돌아가며 굉음을 냈다.

"야, 남자 없는 티를 이렇게 내냐"며 상우는 구시렁거리며 십자 드라이버를 찾았다.
"할 수 있어?"라며 그녀는 드라이버를 건넸고 곧바로 주방으로 가서 저녁을 준비했다. 상우 옆에서 가까이 보기라도 했으면 흉내라도 낼텐데...구축 아파트라 이런 걸로 관리실에 전화라도 하면 그들은 대뜸 짜증부터 낸다. 주민이 각자 알아서 하셔야죠, 라며 가르치듯 내뱉는 여직원의 말이 여간 거슬리는 게 아니다..

다음날 오후 늦게 그녀가 혹시나 하는 마음에 문을 열었을 때 택배는 여전히 그 자리에 놓여있다. 원래 주인은 얼마나 기다 릴까, 하는 생각이 스쳤지만 괜한 친절을 베풀고도 의심을 살 수있는 세상이라 그녀는 하루 더 두고 보기로 한다.

그날밤, 수경은 상우의 꿈을 꾼다. 그가 부산에서 독립예술영화 강연을 하고 서울로 오던 길에 졸음운전으로 사고사 했다는 게 수경은 여태 믿기지가 않는다. 하지만 상우는 서른넷의 나이에 분명 생을 마감했고 그 소식을 듣는 순간 수경의 뱃속에서 자 라고 있던 상우의 아이도 아빠를 따라가고 말았다. 상우에게조 차 알리지 않은 그 아이...

태어나보지도 못한 그 아이가 어느덧 꿈에서는 이미 너댓살이 돼서 저만치 들녘에서 바람개비를 돌린다. 상우는 수경에게 무 언가 귓속말을 남기고 아이에게로 달려간다. 달려오는 상우를 보고 아이는 바람개비를 든 채 상우에게 덥썩 안긴다. 마치 영 화의 한장면 같다...

수경이 눈을 떴을 땐 이미 다음날 새벽이었다. 자기도 모르게 tv를 켜놓은 채 소파에서 잠이 들었던 걸 알고 그녀가 부스스 일어나는 순간 문밖에서 인기척이 난다.
그녀는 조금은 경계하면서 도어스코프로 바깥을 내다본다. 현 관 센서등이 켜지면서 바깥이 환하게 보인다. 그순간, 그녀는

하마트면 비명을 지를 뻔한다...아니, 질렀는지도 모른다...상우
였다. 분명 그가 문앞의 택배를 집어들고 복도 저 멀리로 뚜벅
뚜벅 걸어가는게 보였다. 그는 죽은게 아니었어....한 아파트에
살고 있었어....그런데 왜...왜...

그녀가 슬리퍼 한 짝을 떨구면서까지 상우로 보이는 그 남자를
따라잡을 즈음, 남자가 기척을 느꼈는지 멈칫한다.

"상우씨..상우씨!"
그 소리에 남자가 천천히 고개를 돌린다.
상우였다. 그가 웃고 있다...예의 그 가지런한 치열을 드러내며
그가 웃고 있다. 그리고는 그녀에게 가까이 오라는 손짓을 한
다. 수경은 그리움에 , 반가움에 목이 메어 단숨에 그에게 다가
간다.

이수경, 서른 두살, 영상번역가.
형사 민우는 수경이란 여자가 딱히 살해당할 원인을 찾지 못하
고 실족사한 것 같다고 판단한다. 하지만 그녀가 떨어지면서까
지 꼭 껴안고 있는 저 택배 상자가 마음에 걸린다.
수경은 이미 사후경직이 일어나 그녀와 택배 상자를 분리하는
건 쉽지가 않았다. 죽은 그녀의 품에서 간신히 택배포상자를
떼어내 열어보자, 남자 구두 한켤레가 가지런히 들어있다. 불에
그을린 브라운색 옥스퍼드화였다.

상우의 차는 가드레일을 들이받고 그대로 아래로 곤두박질쳤다
고 경찰은 알려주었다 . 차는 금방 화염에 휩싸여 상우의 신원
을 파악하는데만도 애를 먹었는데 이상하게도 그가 신고 있던
신발만은 약간 그을렸을 뿐 원형을 유지하고 있었다며 그들은
신기해하였다.

상우의 데뷔작이자 마지막 작품이 된 독립영화 '나비의 집'이
의외의 성공을 거둔 기념으로 수경이 사준 그 신발이었다.

<사랑의 예감>

은결의 첫느낌은 수줍은 미소년의 그것이었다. 다희는, 오다가 콜라를 떨어뜨렸으니 조심해서 열라는 그의 조언을 고맙게 받아들인다.
"고맙습니다"
그러자 그는 목례를 하고 헬멧을 고쳐 쓰며 계단을 내려간다.

지난겨울 희철과 쓰라린 이별을 한 뒤 그 무엇에 홀린 듯 다희는 이것저것 시켜 먹기 시작했다. 그녀의 편의점 아르바이트 급여가 거의 다 들어갈 정도로. 그러다 보니 월세도 몇달째 밀려 주인으로부터 독촉을 받았다. 그럼에도 그녀는 폭식에 가까운 식탐을 누를 길이 없다.
그러다 보니 배달원 은결과 자주 마주치게 되고 둘은 엇비슷한 또래라 꼭 친구 같은 느낌이 들었다.

다희는 그의 말대로 콜라 뚜껑을 조심스레 연다. 콜라는 뚜껑이 열리면서 잠시 솟구치는가 싶더니 이내 제풀에 지친 듯 가라앉는다. 다행이다. 만약 은결이 알려주지 않았더라면 콜라 세례를 받을 뻔했다.
그녀는 따로 컵을 사용하지 않고 언제부턴가 병째로 들이마시기 시작했다 . 병에 입을 댔다고 푸념할 희철이 옆에 있는 것도 아니고...

희철과는 딱 한 달을 같이 살았다. 둘이 처음에 살림을 합칠

때에는 물론 결혼을 염두에 둔 것이었다. 하지만 밖에서 희철을 만날 때와는 판이하게 다른 그의 습성, 식습관, 변기 사용등에 있어 둘은 갈등을 빚었고 둘을 결정적으로 갈라놓은 건 희철의 자유분방함이었다. 즉, 여자문제에 있어서 희철은 노골적으로 무한한 자유를 요구했다. 다회가 옆에 있음에도 소위'여사친'이라는 여자들과 스스럼없이 전화로 수다를 떨거나 메시지를 주고받았다. 그러면서 만날 약속까지 하기도 했다. 거기까지는 다회도 참아넘겼지만 그중 한 여자와 2박 3일로 동해를 갔다오겠다는 말만은 받아 들일 수가 없었다. 결국 그 일이 화근이 돼 큰 싸움으로 번지고 그렇게 둘은 헤어졌다.

희철이 나간 뒤 4평이 좀 안되는 다회의 원룸은 텅 빈 모래사막처럼 공허하기만 했다. 그의 컴퓨터 책상이 놓여있던 자리 밑에 쌓여있는 먼지조차 그녀를 서럽게 했다.
그 후, 희철은 두세번 안부 문자를 보내왔지만 다회는 더 이상 그에게 흔들리기 싫어 답문을 보내지 않았고 그랬더니 희철도 더는 연락을 해오지 않았다.

그렇게 완전히 희철과 끊어졌다 생각하던 어느날 문득 생전 안 먹던 피자가 당기고 치킨이 당기고 니글거려 싫어하던 당류, 그러니까 케익이나 마카롱까지 먹고 싶어졌다. 이거 병원에 가봐야 하는 거 아닌가라는 생각마저 들 정도로 비정상적인 식욕이 발동했고 처음 며칠은 애써 참았지만 언제부턴가 그녀는 열심히 배달앱을 누르고 내용물을 검색하는 자신을 곧잘 발견했다.

그렇게 해서 처음 라지 이탈리안 피자를 시켰을 때 가져다 준 사람이 은결이었다. 일부러 보려고 한 건 아닌데 그의 왼쪽 가슴에 달린 조그만 이름표가 다회의 눈에 들어왔다 . 허은결. 한 번 보면 잊히지 않는 이름이라는 생각이 들었다.

이후 일주일에도 두세번씩 그를 마주치게 되자 어느 순간부터는 굳이 ˙당기지 않아도 배달앱을 누르게 됐다.   그러다 다른 이가 배달이라도 오면 다회는 낙담했다. 해서 메모란에 허은결 씨가 갖다주세요,라고 썼다가 지운 적도 있다.

그렇게 은결이 가져다준 피자와 콜라를 다 먹고 나니 이제 편의점 일을 나갈 시간이다. 그녀가 서둘러 출근 준비를 하는데 전화벨이 울린다. 혹시...하는 마음에 전화 액정을 보자 예상대로 집 주인이었다. 여러 달치 월세가 밀렸으니 나가라고 할 권리가 있다는 것쯤은 다회도 알고 있다. 그럼에도 집주인은 독촉만 할뿐 그녀를 강제 퇴거시킬 생각은 없는 듯하다.

이번에도 주인은 전화로 같은 이야기를 한다. 세가 많이 밀렸네...이럼 곤란한데...라며 그녀는 다회의 대답을 기다린다 . 다회는 속으로 셈을 해본다. 한주에 돈 10은 들어가는 이 배달음식만 자제해도 월세는 낼 수 있다...해서, 일주일 안에 모이는대로 일단 송금하겠노라 대답하고 전화를 끊는다. 그래도 고마운 주인이다 그쯤에서 타협을 해주니...대신 다회는 이제 은결을 자주 볼 수 없다는 게 서운하다.

다회가 편의점에 거의 도착할 무렵, 어디선가 끽,하는 기계음이 들리고 이어서 쿵! 하는 굉음이 들려온다. 다회는 깜짝 놀라 뒤를 돌아보자 바로 뒤에 배달 오토바이가 쓰러져있는 것과 그 옆에 헬멧이 벗겨진 채 널브러져 있는 은결이 눈에 들어온다. 다회가 당황해하자 은결은 겨우 몸을 일으키며 오토바이를 세운다. 그러나 힘이 딸리는 듯 해서 다회가 거들어주자 "그쪽 피하다가"라고 작게 속삭인다. 아마도 다회를 칠까봐 급정거를 한 듯하다. 다리를 다쳤는지 그는 절뚝이며 오토바이를 끌고 다회를 지나쳐 걸어간다. 그의 뒷모습을 보며 그녀는 왜 바투 나를 쫓아왔을까가 궁금해진다.

그리고는 다음날 새벽 편의점 일이 끝나고 가게를 나오는데 누군가 어둠 속에서 불쑥 튀어나오는게 보인다. 괴한인 줄 알고 깜짝 놀란 다회가 움찔하자 어둠 속에서 절뚝이며 다가오는 형체는 다름 아닌 은결이었다. 은결은 다회가 이곳 편의점 일을 하는 걸 이미 알고 있었다는 얘기다. 다회는 전날 낮에 있었던 일도 있고 해서 지금이라도 미안하다는 얘기를 해야 할 거 같다. 해서 "병원은 가봤어요?"라고 묻는다. 그러자 은결은 "커피 한잔 사줄래요? 라떼로?"하고 맑게 웃어 보인다.

그렇게 시작된 은결과의 만남 이후 광적이던 그녀의 식욕은 언제 그랬냐는 듯이 사그라들고 그러니 배달원과 고객으로 마주치는 일은 줄어들고 대신 시간과 장소를 정해 정식으로 만나기 시작했다. 둘 다 비는 시간이 그들의 데이트 시간이 되었고 그녀의 예상대로 은결은 그녀와 동갑에 가정형편은 넉넉지 않은 듯 했다. 그러니 배달 일을 하겠지, 그녀는 생각했다. 비슷한 가정환경, 어려운 서울살이, 둘 다 타지가 고향인 점 등이 서로에게 어필했는지 둘은 빠르게 가까워졌고 어느날 은결은 "니 방에서 자구 가도 돼?"라며 그녀를 안고 싶다는 의사를 전해왔다.
그즈음 희철에 대한 미련도 거의 사라졌으므로 거리낄 게 없어진 다희는 그를 받아들이기로 하고 은결도 깊숙이 그녀 안으로 들어왔다.

그날 이후 은결은 다희가 집에 있을 시간이면 자주 들러 섹스를 하고 같이 밥을 먹고 때로는 샤워를 같이 하면서 본격적인 연애라는 걸 했다. 이렇게 진짜 사랑이란 걸까, 다희는 가끔 자문해보았지만 어쨌든 그가 좋은 것만은 사실이었다.

그리고는 은결의 월세 기한이 만기 되던날 자연스레 둘은 다희의 방에서 동거를 시작한다. 그동안 밀린 월세를 은결의 도움을 받아 해결하고나니 집주인도 더 이상 성가신 전화를 해오지 않았고 둘은 지극히 평범한 보통의 연인들이 되어갔다. 가끔 사소한 습관이나 취향의 문제로 갈등을 겪을라치면 은결 쪽에서 먼저 굽히고 양보하는 자세를 보여 문제는 자연히 소멸되곤 하였다.

"내년 봄엔 우리 혼인 신고하자. 그리고 가을엔 식 올리자"

은결은 어느날 밤 그녀를 안으며 그렇게 속삭인다.

"우리 번듯한 직장 갖자"

그녀가 말하자, 그럼 "우리 공무원 공부할까?"라고 은결이 묻는다.

그렇게 해서 둘은 다음날 비는 시간을 이용해 대형서점에 가서 직접 공무원준비 관련 책을 산다. 예상보다 비싼 책값에 다희가 당황해하자 은결은 "갚아라"하며 일부 보태준다. 이런 남자라면 결혼해도 좋겠다는 생각이 그녀를 스쳐 간다.

어느날, 둘은 지인의 차를 빌려 교외로 드라이브를 나간다. 다희는 아직 면허를 따기 전이라 은결이 혼자 차를 몰았고 고교

졸업 후 곧바로 면허를 땄다는 이야기를 했다. 그렇게 나간 교외는 이국적인 건축물과 조경으로 신비로운 분위기를 풍겼다. 은결은 그녀를 제법 비싸 보이는 레스토랑으로 데리고 들어간다. "비싸"하며 그녀가 만류해도 그는 아랑곳 않고 그녀를 미리 예약해 놓은 테이블로 이끈다. 주문을 마친 뒤 종업원이 물러가자 은결은 미리 준비해온 반지 케이스를 꺼내 열어보인다. 그리고는 말없이 그 해맑은 미소를 지어 보인다. 이 남자가 프러포즈라는 걸 하는구나 생각하니 다희는 눈물이 고여온다. 은결은 가녀린 다희의 왼쪽 약지에 그 반지를 끼워주며 고맙다는 말을 중얼거린다. 고맙긴....그녀는 눈물을 훔친다.

그렇게 감동적인 하루를 보낸 뒤 며칠 후, 둘이 한참 잠에 빠져있는데 요란하게 문을 두드리는 소리가 들린다. 먼저 눈을 뜬 건 다희였다. 이 시간에 누구지? 하고 그녀는 인터폰을 들여다 보지만 기계는 고장이 나서 바깥을 보여주지 못한다. 내가 나가 볼게, 하고 은결이 눈을 비비며 일어나 문으로 간다. 그가 문을 열자 체격이 다부진 웬 중년의 여자가 잔뜩 화가 난 듯 서있다. 다희가 누구지? 하는 눈으로 그녀를 보자 "고모"라고 은결이 알려준다. 일찍 부모를 여읜 은결을 고모가 키워줬다는 얘기를 몇번 들은 적이 있다. 다희가 기억하기로는 지방에 사는 걸로 아는데 어떻게 여기까지, 왜 왔을까, 싶다. 고모라는 은결의 말에 다희는 일단 서둘러 카디건을 잠옷 위에 걸친다.

들어오라는 말도 없는데 고모라는 그 중년 여자는 저벅저벅 방안으로 들어선다. "니가 얘기했어 여기 산다고?" 다희가 은결의 귀에 대고 낮게 속삭이지만 은결은 귓볼이 발개지면서 더 이상 말이 없다. 그렇게 들어선 고모라는 여자는 제 집인 양 둘의 침대 위에 팔자 다리를 하고 쿵 앉는다. 꽤 강한 인상이다...

"커피라도..."

잔뜩 주눅이 든 다회가 차를 권하자 고모는 귀찮다는 듯 손사래를 친다. 그러고는 은결에게 손을 내민다. 받을 게 있다는 말인가...

그러자 은결은 힘없이 고래를 떨군다.

"배은망덕한 자식 . 니가 이렇게 숨어 있음 내가 모를줄 알았어?"라며 그녀는 한대 치기라도 할 기세다. 본능적으로 위험을 감지한 다회가 은결의 앞을 가로막는다.

"무슨 일이신데요..."

"이놈이...니 서방이..내 돈을 갖고 튄 거 알어 몰라?"

그 말에 다회는 설마 하는 표정으로 은결을 쳐다본다. 은결로부터 "절대 아니야"라는 대답을 기대하기는 글렀다는걸 다회는 이내 알게 된다.

"그 돈이 얼만데요?"라고 하자 고모는 기다렸다는듯이 "500!"이라며 얼른 내놓으라는 듯 내민 손을 흔들기까지 한다.

돈 500이라면 둘이 살림을 합치면서 은결이 해결해 준 다회의 밀린 월세도 제법 포함돼있으리라는 생각이 들자 다회는 몸둘바를 몰라한다.

다회는 순간적으로 폰에 설치된 은행 어플을 클릭하고 잔액을 확인한다. 500엔 훨씬 미치지 못해도 일단 그거라도 인출해 이 불을 꺼야 한다는 생각에 고모라는 그녀에게 계좌번호를 알려달라고 한다. 그녀는 "500에서 1원도 빼면 안되는거 알지?"라며 미리 으름장을 놓는다. 다회는 통사정을 하면서 오늘 일단 일부만 변제하고 가까운 시일 내로 나머지를 넣어주겠다고 했고 그렇게 둘이 옥신각신하는 사이 은결은 어느새 밖에 나가 버리고 없다. 그렇게 다회가 잔고를 탈탈 털어 고모를 돌려 보내고 나자, 줄담배를 태웠는지 담배 냄새를 잔뜩 풍기며 은결이 방에 들어선다. 다희는 그 어떤 말도 필요 없다고 생각한다. 얼마나 자신과 합치고 싶었으면 그랬으랴 하는 생각에 은결을 안아주려 하는데 그 손을 은결이 매섭게 거절하며 쳐낸다.

"자기야 왜 그래"

그 말에 은결은 한참을 물끄러미 다희를 쳐다본다. 그러더니 그는 빠르게 자신의 짐들을 트렁크에 쑤셔박기 시작한다.

"무슨 짓이야. 나가려구 그래? "

그는 계속 다희의 말을 씹으며 짐을 싸더니 "나머진 나중에 찾아갈게"라며 덧옷을 걸치며 방에서 나간다. 다희는 지금 벌어지고 있는 이 광경이 믿기지를 않는다. 뒤늦게 그를 따라 나가지만 그는 이미 어둠속으로 사라진 뒤다...

이후 보름이 넘게 은결은 다희의 전화를 받지 않는다. 배달 일을 하기에 전화를 꺼놓진 않을테니 그녀의 전화만 피하는 것이다. 다희는 지난번 희철과 헤어진 뒤 나타난 폭식증이 다시 시작되는 걸 느낀다. 그런데 이번에는 좀 다르다. 생쌀이 그렇게 먹고 싶을 수가 없다. 벌레번식을 막는다고 쌀을 넣어둔 냉장고를 여는 순간 그녀는 억!하고 구역질을 해댄다. 이런 일은 처음이라 다희는 당황한다. 그리고는 닫았던 문을 다시 여는데 이번에 또 헛구역질이 나온다. 설마...하는 생각에 그녀는 저만치 침대 머리맡의 캘린더를 살펴본다. 이번 달 생리를 안했다... 어쩌면 은결의 아이를 가졌을지 모른다는 생각에 그녀는 설렘과 불안을 동시에 느낀다.

그리고는 다음날 약국이 막 문을 열었을 시간에 그녀는 약국으로 달려가 임신 키트를 사온다. 결과는 두 줄...그녀는 임신이었다. 순간, 제발,하는 심정으로 은결에게 전화를 하자 이번엔 벨이 두어번 울리고 그가 전화를 받는다.

"아이가..."

그 말에 은결은 아무 대답이 없다. 다희의 말을 이해 못한거 같다. 해서 그녀는 다시 큰 소리로 이야기한다.

"애가 생겼어. 우리 아이가!"

그러자 은결이 전화너머로 한숨을 푹 쉬는게 들려온다. 그 소리에 다희의 심장박동이 빨라진다.

"돌아와. 일단 와서 이야기해"

"그 아이...지워라"

그 말에 다희는 휴대전화를 떨어뜨리고 만다. 그리고 그녀가 다시 집어 들었을 때는 이미 전화는 뚜뚜 소리를 내며 끊긴 상태였다. 어떻게 그럴 수가 있을까...당장이라도 달려올 줄 알았던 은결이 단번에 낙태를 하라고 했다는 사실이 믿기지가 않는다. 그러자 그녀의 입덧은 더욱더 심해진다. 이후로 며칠 내내 먹고 토하고를 반복하다 다희는 마침내 결심을 한다. 그리고는 그에게 다시 전화를 건다.

"그럼 병원만이라도 같이 가줘. 돈은 내가 낼게"

"..."

"그 정도는 해줘야 하는거 아냐? 그래두 니가 애 아빤데?"

"봐둔 병원이라도 있어?"

은결이 낮게 묻는다.

다희는 수술대에 누워 아무 생각도 안하리라 다짐한다. 하지만 어느새 그녀의 두 눈은 눈물로 가득하다. 희철도 은결도 다 자기를 스쳐가는 남자들일 뿐이었다고 생각한다. 그리고는 의사가 다희의 이름을 확인한 뒤 마취 주사를 놓으려는 순간이었다.

갑자기 수술실 문이 열리며 다급하게 은결이 뛰어 들어온다.

설마...하는 다회를 은결이 안아들고 쏜살같이 수술실을 뛰쳐 나간다. 의사와 간호사가 내지르는 고함 소리를 뒤로 하고.

그렇게 다시 마주한 둘은 일단 숨부터 고른다.
"얼마나 됐다구?"
그 말에 다회는 울먹울먹 대답한다.
"5주째래"
"그럼 조심해야 될 때 아냐?"
"응.."하는데 그녀의 얼굴은 눈물 범벅이 된다. 고모에게서 훔친 나머지 돈은 자기가 다 메꿨다고. 그러느라 그동안 아르바이트를 여러 개 했다는 소리를 한다. 그런 말을 하는 은결이 다회는 너무나 안쓰러워 그의 거칠어진 두 손을 따뜻이 감싸쥔다.
"힘들었지?"
"니가 힘들었지"라며 다회는 그리도 그리워한 은결의 품에 포근히 안긴다.
"미룰거 뭐 있어. 지금 하자."
"뭘?"
"혼인신고"
"!..."

<사랑의 門>

수인은 오늘을 마지막 날로 정했다. 우진을 기다리는 마지막
날로.
그에게 그녀 나름의 확실한 이별을 통보한뒤 그래도 끊어지지
않는 마음에 하루만 ,하루만 더 기다려보자,한 게 한달째다. 그
동안 우진에게서는 그 어떤 연락도 없었다. 전화도 문자도, 심
지어는 가끔 보내오던 이메일도.
그렇다면 우린 완전히 끝난 걸까...

우진은 '기다리라'는 말만 하였다. 어떻게든 재기해서 수인에게
진 채무를 모두 변제하고 정식으로 청혼하겠다고. 그러나 정작
수인이 우진을 본 것은 한참되었고 둘은 그렇게 장거리 연애라
도 하듯이 문자며 전화 통화만 하면서 세월을 흘려보냈다.

"너도 참 한심하다.. 그런 작자를 여태 기다려? 그것도 헤어지
자고 해놓고?"
대학동창 해인이 끌끌 혀를 찬다.
"나도 몰랐는데 너 술집 한다는게 뭔 줄 알긴 알아?" 라는 말
에 수인은 대학시절, 학교앞 그 호프집들을 떠올렸다.
"남편이 그러는데 남자들 회식 자리 가면 여직원들 먼저 보내
고 별짓 다 한다드라..."하면서 지금 우진이 지방에서 술집을
하고 있다면 더 이상 환상같은거 갖지 말라고 하였다. 다시 말
해, 그 주위에 널린 게 여자라는 얘기였다.
"우진씨 그런 사람 아냐. 물론 아는 여자들이야 있겠지만.."하
면서도 그런 해인의 언급에 수인도 어지간히 신경쓰이는 게 아

니다. 연애중인 남자도 아닌 이미 자신이 이별을 통보한 남자에게 미련이 남아 이리도 애면글면하는 자신이 너무나 못났다. 그러나 마음이 끊어지질 않는 걸 어쩌랴....그래서 기다려보기로 한 것이다. 한달만.

우진은 의류사업을 꽤나 크게 하다 부도를 맞았고 이후 대학가에서 노래방을 한 2년하다 그것도 날려버렸다고 하였다. 그리고는 한참 힘들 때 지인의 소개로 수인을 알게 되었고 둘은 연애라는 걸 하였지만 우진의 불안정한 상황 때문에 둘은 자주 다투고 헤어지고 다시 만나고를 반복하였다. 그러다 우진이 '이번이 마지막'이라며 지방에 친구와 술집을 낼 거라는 소리를 듣고 수인은 고개를 저었다. 그 돈을 자기가 대야 한다는 게 너무나 명확했고 무엇보다 '술집'이라는 게 싫었다. 물론 그때는 그직업에 대한 편견 이상 이하도 아니었다.
"뭘 하면 어때. 먹고 살면 되지"라며 우진은 기어코 수인의 돈을 가져갔고 6개월만 쓴다는 약속을 어기고 이른바 '잠수'를 탔다. 돈도 돈이지만 그에 대한 배반감에 수인은 앓아누웠다. 그렇게 그녀의 네일샵은 결국 문을 닫게 되었고 이제는 생계마저 막막해졌다. 그래서 수인은 우진에게 가져간 돈의 일부만이라도 돌려달라고 애원하다시피 하였지만 어렵게 연락이 닿으면 우진은 '기다리라'고만 했다.

동창 해인으로부터 '술집'을 운영할 때의 잡다한 인간 관계, 특히 여자 문제를 전해듣고 수인은 우진이 자신과 사귈 때도 다른 여자들이 있었을지 모른다는 생각을 이제야 하게 되었다.
당장의 생활비가 없다 해서 돈을 건네주면 이삼일 뒤에는 또 돈이 없다는 죽는 소리를 하는게 이상해서 '뭐에 그 돈을 다 썼어?'라면 '묻지 마. 알면 다쳐'라고 그는 슬쩍 그 상황을 얼버무렸다.

그 말이 그녀의 뒤통수를 잡아 끌었지만 그래도 설마 다른 여자가 우진에게 있을 거라는 상상은 하지도 못하였다. 그가 그런 일 없다고 했으니. 이 처지에 무슨 계집질이야,라고 했으니...그 말을 오롯이 믿은 자신이 한심하다 못해 죽이고 싶도록 미워졌다. 나이 마흔이 다 돼도록 남자를 몰라도 너무 몰랐다는 자괴감이 들었다. 남자의 세계...그게 뭘까, 특히 술과 여자가 있는 남자의 세계란....

결국 그날 밤까지 우진에게서는 연락이 없고 그녀는 더 이상 연이 아니라고 생각하고 마음을 접기로 한다. 도대체 몇번을 이별해야 하는가...

그러고 있는데 전화벨이 울린다. 그녀는 깜짝 놀라 단번에 받지를 못한다. 우진이었다. 그는 거짓말처럼 그녀 스스로 정한 데드라인 마지막 순간에 전화를 걸어왔다.

덜덜 떨리는 손으로 그녀는 통화버튼을 누른다.

그는 각설하고 또 돈이야기를 꺼냈다. 어쩐지 다급하게 자정이 임박해 전화를 걸 때는 뭔가 있다는 생각을 했던 그녀는 그간 우진에 대해 가졌던 호의적 감정들이 순식간에 냉소로 바뀜을 느낀다.

"한가지만 얘기해줘...당신, 나 하나였어?"

수인의 그 물음에 저쪽은 한참 침묵한다. 그러더니,

"여자가 몇이었든 그게 무슨 상관이야. 내가 너만 바라봤으면 그 걸로 된 거지"라며 그는 에둘러 다른 여자들의 존재를 인정했다. 이제 정말 관계가 끝났다 생각한 건지 그는 더이상 변명

조차 하지 않았다.

그거였어...다른 여자들이 있었어. 굶어 죽는다고 해서 자기 수입의 반을 떼서 주었더니 그걸로 다른 여자들과 놀아났다는 걸 알게 된 그녀는 그가 언젠가 '남해로 낚시가자'고 했다가 바로 다음날 철회하고 친구와 가기로 했다던 그 일이 떠올랐다. 그리고는 여비를 요구했다. 그때 다른 여자를 데리고 갔구나...

우진과 어떻게 이야기를 마무리했는지도 모르게 통화는 이미 끝나버렸고 수인은 침대 위에 털퍼덕 쓰러진다. 이젠 더이상 나올 눈물도 없다. 지독히 당했다는 생각뿐이다. 눈을 깜박일 힘마저 없다....

그러는데 미장원사장이 전화를 걸어왔다. 미장원 공간을 나눠 쓰자고 얼마 전 수인이 제안한것에 좋다는 답을 했고 할애 공간만큼의 월세는 반드시 내라고 하였다.

그말에 수인은 자신에게 생존이 남아있음을 깨닫는다. 비록 사랑의 문은 닫혔어도 삶의 문은 닫히지 않았음을 확인하고 그녀는 당장 다음날부터 일할 거라고 답한다.

그리고는 어둠이 내린 창밖을 물끄러미 보다가 창문을 활짝 열어젖힌다. 그러자 비를 품은 바람이 기다렸다는 듯이 쏟아져 들어온다. 이제 더이상 환상따위는 없다. 그러니 다칠 일도 그만큼 줄었다는 생각에 그녀는 한편 홀가분해진다 .어차피 썩은 사과였던 사랑이니 더이상 연연해 할 필요도 없다, 이제는 털자, 하고 그녀는 텁텁한 밤공기를 최대한 흡입한다.

<12월의 신부>

상회는 현수의 결혼 소식을 포털에서 접하면서 아득해진다...헤어졌어도 다시 만날거라고 생각해온 그이기에 상회의 상실감은 이루 말할 수 없었다.

"너한테 신세진 건 언젠가 꼭 갚는다"고 했지만 상회는 그런 현수의 말을 믿지 않았고 그에게 넘어간 돈을 깨끗이 포기하고 돌아섰다. 그래도 영이별은 아니라고 생각했다. 아닌게 아니라 현수는 이따금 안부 문자며 메일을 보내왔고 더 가끔은 전화도 걸어왔다. 그것도 한밤이나 새벽에...그러다 다시 만나지겠지, 상회는 그렇게 믿어왔다.

독립예술 영화 쪽에서는 그 나름 해외 영화제에서 큰상도 받은 현수지만 국내 상업영화판에서는 신출내기나 무명에 다름없었다. 해서, 상회는 그가 보다 안정적인 직업을 갖고 영화는 취미 정도로 했으면 했다. 아니면 아예 영화를 포기하고 자신의 까페일을 봐주든가 하길 바랐다.

하지만 현수는 오랜 무명기간을 거치며 오기와 독기만 늘어 영화를 포기하지 않았고 상회의 돈을 끌어다 첫번째 상업영화를 만들었지만 결과는 처참했다. 결국 그 일이 빌미가 돼서 둘은 잦은 갈등을 빚다가 헤어지게 된 것이다. 그러면서 한 얘기가 "니 돈은 갚는다"였다.

하지만 그 상태로, 언제부턴가는 그의 안부전화나 문자도 끊어졌고 용기를 내서 상회가 연락을 하면 현수의 전화는 늘 자동

응답으로 돌려겼고 해서 그냥 끊기를 몇번, 결국엔 그녀도 포기하기에 이르렀다. 그래도 둘의 이별이 와닿지 않았고 , 그야말로 '길모퉁이 돌아서면 '언제가 만나게 될 그런 사람이라는 기대감을 버리지 못하고 2년이 흘렀다.

그리고는 바로 오늘 그녀는 포털에서 그의 결혼기사를 접한 것이다. 하지만 신부의 존재는 비밀에 부쳐졌다. 비연예인이기에 보호한다는 명목으로 그녀의 신상은 밝히지 않았다.
상희는 한 달 앞으로 다가온 현수의 결혼에 넋을 놓고 가만 있다가는 평생 후회할 거라는 생각에 마지막 용기를 내기로 한다. 도대체 어떤 여자기에 현수가 결혼까지 결심했는지...

"니 돈부터 갚아야 하는데"
2년만에 마주한 현수는 상희가 꺼내지도 않은 돈 애기로 말문을 연다.
"헤어졌으니 돌려주는 게 맞긴 하지"라며 상희는 그 나름 쐐기를 박으면서도 어떻게든 이 남자의 마음을 돌려야겠다는 생각을 한다.
"비 연예인이면.."
"응...너처럼 까페 하는 여자"라고 그가 덧붙인다.
"나...처럼?"
그 말은 그녀를 안달나게 만든다. 같이 동거할 때는 상희와 현수는 물과 기름처럼 서로 겉돌기만 했다. 그녀는 지극히 주관적이고 질척한 느낌을 주는 예술이니 그런 것들을 싫어하였고 현수는 팍팍하고 고단하고 건조하게 돌아가는 일상에 힘들어 하였다. 그렇게 둘은 서로 화합하지를 못했다.

"나보다...어리지? 젊고?"

"그냥 비슷해"하며 그가 커피잔을 두 손으로 감싼다. 여자손. 고생하지 않은 손,이라는 생각을 그녀는 자주 한 듯하다 그의 손을 보며. 가늘고 길고 하얀 그의 손...

"축하해 결혼"

자신처럼 까페를 하는 여자라는 말에 상희는 현수를 되돌려놓겠다는 전투력을 상실하고 만다. 왜 하필...

그러면서 , 같이 살때는   왜 현수의 세계, 예술의 세계를 이해하려고 노력하지 않았는지 후회막급이다. 그걸 해냈기에 '그녀'는 그의 '선택'을 받은 게 아닌가...

"그리고 내 돈..." 상희는 만난 김에 매듭을 짓기로 한다.

"그건 갚아야지 당연히"

"아니. 잊어버려"

라며 상희는 더 마주앉아 있을 이유를 찾지 못한다.. 설령 이제 와서 그 돈을 받는다 한들 그의 부재로 인해 자신이 겪어야 했던 고독과 상실감이 없어지는 것도 아니고..그냥, 그가 있어 써야 했던, 감당해야했던 자기 몫의 운명의 부채라 여기기로 한다.

"결혼축하해"

동창 미정이 며칠 후 난데없는 전화를 걸어왔다.

"나? "

전화를 끊고 상희는 다급하게 포털을 뒤졌다.

"다 니 덕이야. 힘들 땐 너 생각하면서 버텼어..."

현수는 첫 상업영화 실패 후 오랜 휴지기를 거쳐 이번에 다시 영화를 만들게 되었다고 털어놓는다. 인기 웹툰을 원작으로 한

거라 이번엔 가능성이 있어 보인다고 숨도 쉬지 않고 말을 이어간다. 그러면서 주섬주섬 주머니에서 자그만 반지케이스를 꺼내 보인다. 첫눈에도 값이 나가는 건 아니지만 제법 고민해서 고른 티가 난다.

"받아줄래?"

"이런 법이 어딨어..나한테 허락도 안받고 기사 막 내고.." 하는데 상희의 목소리가 떨려온다.

그 순간, 와!하는 소리와 함께 박수가 터져 나온다. 현수의 청혼을 눈여겨본 까페 손님들이 내는 소리였다. 순간, 상희의 눈에 눈물이 그렁하다.

"오늘 일찍 가게 문 닫고 어디가서 근사하게 저녁 먹자" 라며 그가 상희를 살포시 안아온다.

<부채로 남은 사랑>

그에게 모진 메일을 보내고 나니 윤희는 기분이 울적하고 개운치가 않다. 해서 그녀는 다시 그 포털에 들어가 메일 발송 취소를 클릭하려 하는데 그 순간 그에게 보낸 메일이 '읽음'으로 표시된다. 이제는 어쩔 수가 없구나 싶어 그녀는 그 포털을 나오고 컴을 아예 꺼버린다.

진석은 평소에도 자기 돈을 별로 쓰지 않는 타입이었다. 좀 더 정확히 하면 어떻게든 얻어먹으려 하고 빌린다는 명목하에 가져가서는 갚지 않는 그런 식이었다. 처음에는 그 액수가 크지 않아 윤희는 선뜻 자기 주머니를 털었지만 그가 요구하는, 암묵적으로 압력을 가하는 액수가 점점 늘어나 신인 작가 수입으로는 감당하기가 어려웠다.

둘은 작가와 연출로 만났고 비슷한 나잇대에 둘 다 혼기가 꽉 찬 터여서 주위에서 죄다 사귀라고 부추겼고 윤희도 진석도 둘 다 싫은 눈치는 아니었다. 그리고 드라마 작업이란 게 붙어있는 시간이 많다보니 그러지 말라고 해도 미운정 고운정이 들고 진석은 촬영 현장에도 나와보라고 해서 윤희는 가끔은 현장수정까지도 해야 했다. 그렇게 첫번 작품을 마치고 둘은 강원도로 향했고 나머지 스텝들은 그 다음 날 합류하기로 하였다.

그 둘이 머문 곳은 유명 상조회사에서 운영하는 '콘도'형식의 레지던스였고 둘이 한방을 쓴다는 게 알려지면 곤란하다며 ,걸려온 조연출의 전화에 진석은 '작가님은 옆방에 계시지'라며 너스레를 떨었다.

"아참, 저 칫솔이 없는데"라면서 잠자리에 들 무렵 윤희가 난감해했다. 그때만 해도 1층에 내려 가면 24시 편의점이 있다는 걸 몰랐기 때문이다. 그 말에 진석은 "이거 쓰세요"라며 자기의 새 칫솔을 건넸다. "감독님은.."하자 "됐어요"라며 그는 자기 방에 들어가서 이불을 폈다.

내려오는 길에 윤희는 자신은 침대가 아니면 잠을 못 잔다고 했기 때문일까, 그는 알아서 온돌방을 자기 방으로 정했다.

그렇게 진석으로부터 받은 칫솔로 양치를 하고 윤희는 샤워까지 마친후 침대방에 들어가 잠에 골아 떨어졌다. 그러고는 새벽에 화장실을 가려고 나오는데 현관문이 열리면서 칫솔을 사서 들어오는 진석과 부딪쳤다.
"어머, 여기 가게도 있나봐요?"라는 말에 진석은 씩 웃었다.

화장실을 다녀온 윤희는 이 상황이 조금은 어색하다고 느꼈다. 그래도 일 때문에 알게 된 사인데 둘만의 여행을 왔다는 게..물론 그 다음날 다른 이들이 오기로 돼 있긴 했지만.

해서 윤희는 양치를 마치고 나오는 진석을 기다렸다가 "저는 옆 방 쓰는 게 좋을거 같아요. 내일 스텝들이 보기라도 하면"이라고 하자 진석은 "벌써 다들 알고 있어요. 눈치가 백단인데"라며 별일 아니라는 표정을 짓는다. 그리고는 칫솔과 함께 사온 캔맥주와 안줏거리를 주섬주섬 꺼내더니 "한잔 하죠"라며 술을 먹자고 하였다. 새벽 술....조금 과하다 싶었지만 한 캔 정도야 어떠랴, 하고 윤희는 그에 응했고 그 한캔은 두캔이 되고 점점 늘어났다.

그리고는 깨어나니 둘이 서로 부둥켜 안고 누워 있었다. 진석은 코까지 골며 자고 있다. 첫만남부터 서로에게 끌렸다면 끌린 사이라 어찌 보면 당연한 결과려니 하고 윤희는 그를 받아들이기로 하였다.

그러나 진석은 이후로 이따금 돈을 요구하기 시작했다. 술을 먹은 날은 대리비부터 많게는 오피스텔 월세까지. 방송국 pd 정도 되면 돈을 어느 정도 번다고 여기고 있던 윤희는 그런 그의 요구를 어떻게 받아들여야 할지 몰랐다. 그만큼 자신을 가깝게 여긴다는 뜻일까, 아니면 만만하게 본다는 걸까, 그 둘 사이에서 그녀는 갈팡거리고 혼란스러웠다.

그러다 진석은 미니시리즈 파트로 옮겨가고 윤희도 그와 함께 작업을 하기로 돼있었지만 진석은 단막극을 하던 때와는 달리 원고 타박이 심해졌고 급기야는 서로 다투고 작가 교체까지 해버렸다. 이번 미니 16부를 써서 받는 돈으로 따로 할 일이 있었던 윤희는 난감해졌고 다음 기회를 기다려야 했다. 하지만 한번 pd와 틀어진 작가는 웬만해서는 쓰지 않는 게 제작국 내의 관행이어서 선뜻 그녀에게 작품을 제안하는 pd가 없었고 간혹 연락이 와도 막상 나가보면 일종의 '소스'를 얻기 위한 작업일 때가 많았다.

그러다보니 자신의 생활비조차 빠듯해지고 다른 수가 없다고 생각한 윤희는 진석에게 힘들게 연락을 했다.

"내가 좀 급한데요. 빌려간 돈좀..."
"그거 안 떼먹어요. 내가 신원이 불분명한 사람도 아니고.."라며 그는 일방적으로 전화를 끊었다.
그리고는 얼마 안 가 그가 교양국 구성작가와 목하 연애 중이라는 소문이 떠돌았다. 돈도 돈이지만 무엇보다 실연의 쓰라림에 윤희는 더더욱 힘들었다.

그녀는 방송일을 접기로 하고 학원 쪽을 알아보기로 하였고 어렵게 한군데 논술 강사로 취직이 되었다. 빠듯한 월급으로 근근이 버텨가는 그녀에게 어느날 밤 진석이 전화를 걸어왔다. 돈 1000이 필요하다고.

그말에 윤희는 발끈 화가 난다. 연애는 다른 여자와 하고 돈은 내게서 가져간다는 생각에 그녀는 나오는대로 생각나는대로 퍼붓고 전화를 끊었다. 그러자 이번엔 문자로 그가 같은 내용을 보내온다. 꼭좀 필요하다, 그리고 우리 관계는 다시 생각해보자는 유화적인 제스쳐를 취했다.

그의 진심을 알 수 없던 그녀는 일단 한번 봐야겠다는 생각이 들었다. 얼굴도 보지 않고, 그것도 헤어진 뒤에 다시 돈을 요구하는 입장이면 최소한 얼굴은 보여줘야 하는게 아닌가, 하는 생각이 들어서였다.

그렇게 다시 만난 진석은 윤희와 마주 앉아 있다는 게 여간 불편해 보이지 않았다.

"이렇게 불편한 사람한테 돈 빌리면 더 불편하지 않아요?"라며 윤희가 볼멘 소리를 하자 그가 뜻모를 한숨을 길게 내쉰다. 그리고는 빤히 윤희를 보더니 "우리, 다시 봅시다"라고 하였다.

그렇게 둘은 재회를, 재결합을 한 것같았고 윤희는 어렵게 돈 1000을 마련해 진석에게 건넸다. 하지만 그는 돈을 받아간 뒤 태도가 돌변해 그녀의 연락을 받지 않았고 연락해오지도 않았다. 우린 뭔가...나는 또 당한건가, 하는 자괴감이 그녀 안에 깊숙이 박힐 때쯤 평소 눈 인사 정도만 하고 지내던 다른 pd가 연락을 해와서 그녀는 뜻하지 않게 다시 방송국을 드나들게 되었다.

엘리베이터 안에서 마주친 진석의 옆에는 한참 어려보이는 어떤 여자가 밀착해서 서있다. 순간 윤희는 그가 자신을 '농락'했다는 생각이 들어 두 주먹을 움켜쥐지만 진석은 그녀를 아예 투명인간 취급을 한다.

그런 힘든 상황에서 일이 잘 풀릴리가 없어 결국 다른 pd와 하기로 했던 4부작 특집극도 틀어져버리고 이제 더는 기회가 없음을 깨닫고 그녀는 방송 일을 완전히 청산했다. 하지만 돈은 받아야 한다는 생각에 진석에게 연락을 하면 이런저런 핑계를 대며 그는 그녀를 피하기만 하였다.

해서 그녀는 그와 작업할 때 원고를 보내던 그 이메일주소로 메일을 보내 자기 돈을 돌려달라고 하였다. 그러자 사흘만에야 열어본 진석은 '갚아요. 안 떼먹어요'라고 답해왔다.

그렇게 한달여를 기다려도 그녀의 통장엔 진석의 1원도 입금되지 않았다.. 해서 그녀는 다시 이메일을 보내서 '나도 급하니 빨리좀 넣어달라'고 애원하자 '구질스럽다고 느끼지 않아요? 그거 몇푼 된다고'라며 진석은 이번엔 그녀를 모욕하기까지 하였다.

해서 그녀는 '모월모시까지 입금이 안되면 소를 걸겠다'고 으름장을 놔야 했고 그걸 보내놓고 발송취소를 해야 하나 망설이는 찰나 그가 메일을 열어본 것이다.

윤희의 메일은 의식적으로 더디 열던 진석이 그날은 빨리 열었고 결국 그도 '소송'을 언급한 내용을 다 읽고 말았다. 윤희는 어차피 이리 된 거 악착같이 자기 돈을 받아내리라 마음먹는다. 사랑은 잃었어도 돈만은, 하는 심정이 되었다. 그러는데 진석으로부터 전화가 걸려와 지금좀 보자고 한다. 시간을 보니 한밤중이다. 자정이 가까운...

진석은 윤희가 세들어사는 연립 앞으로 오겠다고 한다.
"돈 주는 건가요?"
윤희는 또다시 바보가 되기 싫어 노골적으로 물어본다
"일단 보죠. 만나서 얘기합시다"라며 그가 애매하게 대답을 해온다.

그러나 그날밤 진석은 오지 않았고 윤희는 한시간 이상을 밖에서 덜덜 떨며 기다려야 했다. 그가 안 온다는 확신이 들자 그녀는 자기 방으로 돌아왔고 일단 씻어야겠다는 생각에 보일러 온수 버튼을 누르고 물이 덥혀지길 기다린다...

그때 전화가 걸려온다. 직감적으로 진석임을 알아차리고 그녀가 통화버튼을 누르려는데 전화가 끊긴다. 그녀는 재빨리 콜백을 하지만 이미 저쪽이 자동응답으로 돌려놓은 뒤였다. '전화기가 꺼져있어 음성사서함으로 넘어간다'는 말이 들려왔다. 이어서 삐, 하고 녹음하라는 신호가 들려온다. 그녀는 그냥 종료 버튼을 누르려다 멈칫한다. 그리고는 마지막 용기와 힘을 다해 녹음을 한다. 윤희를 처음 픽업해준 cp에게 그간 둘의 일을 다 털어놓겠다고 한다. 녹음을 마치고도 그녀는 저장 버튼을 누르지 못해 한참을 망설이다 결국 누른다. 그리고는 샤워에 들어간다. 알맞게 덥혀진 온수에 진석이 보인 냉담함과 배반, 배신, 갈취의 기억들이 조금은 씻겨 내려가는 것만 같다. cp에게 평 pd들이 찍히면 어떻게 된다는 걸 아는 이상 무답으로 나올수는 없으리라...

욕실에서 나온 그녀가 힐끔 전화기를 일별하자 무언가 빨갛게 알람이 들어와 있다. 폰을 집어들어 가까이보자 은행 앱 알람이다. 혹시나 하는 마음에 급히 앱을 열자, 진석이 100만원을 입금한 내역이 뜬다.

그 많은 돈을 가져가놓고 달랑 돈 100만 입금한 게 괘씸하지만 , 이거라도 받았으니 다행이라는 생각이 든다. 그리고는 한동안 꺼내보지 않은 그 '팔찌'를 꺼내본다. 둘이 처음 강원도로 갔을때 기념품이라며 진석이 만원 주고 사준 도금 팔찌였다. "빼지 말아요"라며 그가 직접 팔목에 채워줬던 것이다.

그러고보니 그도 내게 쓴 돈이 있었어,라는 생각이 들며 울컥해진다. 그러고 있는데 전화벨이 울린다. 그일까? 그녀가 전화기를 바라본다...

<어느날의 터치>

영환은 다 늦은 시각에 들르겠다고 한다...지난주에도 대학로에서 만나 저녁을 만났는데 뭐하러 또 오겠다는 것인지, 그것도 이 늦은 시각에.

"야근이 걸려서...그래도 꼭 갈게"라며 그가 고집을 피운다.

세영은 그가 유해보이는 겉과 달리 자기주장이 강한 타입이라는 걸 알아서 맥없이 "알았어"라고 말을 하고 전화를 끊는다.

영환은 현재 아내와 별거중이다. 영환의 사업이 휘청거리면서 부부는 자주 다투다 급기야는 별거에 들어간 것이다. 그런 영환을 처음에는 위로한다고 자주 보았지만 어디까지나 그는 어엿한 우부남이고 아이까지 있다. 세영은 그와의 '일정 거리'가 필요하다 느낀다.

그렇게 영환은 9시가 다 돼서 초인종을 울려댄다.
"다음에 오라니까.."라고 하자 "너 줄 거 있어서"라는 그의 한 손을 보니 케익상자가 들려있다.
"너 당근케익 좋아하잖아. 거래처 사람이 사왔드라구"

그 말에 세영은 쿡 웃음이 나온다. 이걸 주려고 강남에서 강북 끝자락의 자기 집까지 왔다는 게, 것도 야근까지 하고..하는 생각이 들자 얼른 커피라도 줘야겠다는 생각이 든다. 해서 그녀는 주전자에 물을 올리고 끓기를 기다린다.

"넌 여태 커피 머신도 없냐"라고 투덜대는 영환의 말이 조금은 정겹게 들린다. 둘이 대학동창이니 알아온 세월만 해도 20년이 다 돼간다...

허물이 없다면 없는 사이여서 별거까지 이른 자기 부부의 속내를 털어놓을 때도 세영은 그닥 놀랍지 않았다."이젠 부부관계도 안해"라던 그 말까지도.

"나 어쩌면 완전히 갈라설 거 같아"라는 그의 말에 , 다 끓은 물을 커피잔에 따르던 세영의 손이 멈칫한다.
"그러지 마..아이들은" 하자, "그거 다 핑곗거 알잖아"라며 그가 세영으로부터 커피를 받는다. 그리고는 주섬주섬 케익상자를 푼다.

세영도 아이를 가져본 적이 있다. 영화 음악을 하는 t와 잠시 사귀는 동안 아이가 들어섰지만 t가 신인 여배우와 눈이 맞으면서 둘의 관계는 흔들렸고 그래도 그를 붙잡겠다는 생각에 세영은 이미 떠나간 남자의 아이를 낳았다. 하지만 사산이었다...

이런 그녀의 사정을 다 아는 영환인지라 아마도 '아이 따위는 핑계'라고 이야기하는 건지도 모른다. 비록 사산이긴 했지만 그래도 세영의 자궁 밖으로 나온 그 아이 이야기를 뒤늦게 t에게 했을 때 그가 보인 반응을 세영은 여태 잊을수가 없다.

"왜 그런 멍청한 짓을 했어. 너만 곯았잖아. 진작에 지웠어야지
"라던 t...

그리고 얼마후 t는 약물중독으로 자신의 욕실에서 죽은 걸로
기사가 떴다. 괜한 오지랖이라는 생각이 들었지만 그래도 '아이
아빠'였다는 이유로 세영은 그를 조문하고 오는데 첫눈이 내렸
다.

"그러지 말고 아이들 생각해서라도 다시 잘 좀 해봐"라며 세영
은 영환이 가져온 당근 케익을 한입 베어 문다. 그러자 그가
물끄러미 자신을 보는 게 느껴진다. 얼굴이 달아오른다. 볼거
못 볼거 서로 다 보고 온 사인데도 오늘따라 그의 시선이 예사
롭지 않고 불편하다.

"만약..."
그 말에 세영은 다음말을 알아차린다.
"아니...너하고 어째볼 생각없어."라고 그녀는 딱 잘라 거절한
다. 그러고나자 조금은 후련해지는 기분이다.

그럼에도 자정이 될 때까지 영환은 갈 생각을 않고 피곤하다며
소파에 누워 잠들어있다. 밤 운전이 힘들다던 그의 말도 떠오
르고 아무리 별거 중이라 해도 엄연한 유부남과 늦은 시각 이
러고 있는 게 내키지 않아 세영은 자는 그를 살며시 흔들어 깨
운다. 그러자 그가 어...하면서 졸린 눈을 비비며 일어난다. 12
시야. 라고 세영이 말하자, 어, 미안, 하고는 부시시 일어나 갈
채비를 한다.

"나오지 마. 늦었어. 춥기도 하고" 라며 그는 마치 대학생처럼

배낭을 둘러메고 현관으로 향한다.

"와이프랑 잘 얘기해봐"라고 세영이 말하자 영환은 씩 웃는걸
로 대답을 대신한다.
"멀리 안 나갈게"라며 세영이 엘리베이터 앞에서 말하자 그가
"그래 들어가"라고 한다. 엘리베이터가 거의 다 올라 왔을때쯤
이다. 그가 물끄러미 그녀를 바라보더니 손으로 그녀의 한쪽
뺨을 살며시 어루만진다. 순간 그녀는 흠칫 뒤로 물러서며 "뭐
하는거야 너?"라며 기분이 상한다. 그때 엘리베이터 문이 열리
자 영환이 머뭇거리더니 "미안"하고는 기계에 오른다. 닫히는
엘리베이터 문으로 그의 모습이 점점 축소된다. 마침내 문이
다 닫히고 복도를 걸어 자신의 집으로 오는데 세영의 기분이
말이 아니다. 뭐였을까 ? 자기 얼굴을 어루만진 그의 행동은?
설레임 대신 얼른 들어가 얼굴을 씻고 싶다는 생각이 든다. 해
서 그녀는 남은 복도를 뛰다시피 해 자기 집 현관 비번을 급히
누르고 안으로 들어간다. 이어서 둔중한 철문이 쾅 소리를 내
며 닫힌다.

<악의>

은희는 여정이 뒤늦게 해외로 취업을 나간 걸 건너 들어 알고
있었다. 교양 체육을 그리도 싫어하던 여정이 어쩌다 다이빙
강사가 되었고 그것도 늦은 나이에 해외로 나가게 됐는지는 그
녀도 자세히는 모른다. 그런 여정으로부터 dm이 날아왔다. 은
희라는 이름이 워낙 흔해 찾기가 어려웠을텐데도 그녀는 결국
찾아낸 것이다 . 둘은 대학때 늘 일정거리를 두면서도 친하다
면 친한 , 뭐 그런류의 관계였다. 해서 여정이 이모티콘 여러개
를 날려가며 보내온 dm을 보았을때 은희는 조금은 거부감이
일기도 하였다.

"야, 우리 얼마만이냐"라며 까페에 마주 앉자마자 여정은 호들
갑을 떨었다. 그러더니 "여기 담배 되나?"하고는 두리번거린다.
"요즘 실내는 다 금연이야. 얘는"이라면 은희가 말하자 "아, 갑
갑해"라며 여정은 반쯤 꺼냈던 담배를 다시 집어넣는다.
"어쩌다 수영하게 됐어? 것도 다이빙을?"하자 "말하자면 길
어...나한테 수영배워라"하면서 여정이 살짝 웃는다. 그러고 보
니, 그녀가 대학때 꽤나 미인소리를 들었던 기억이 난다. 자그
맣고 갸름한 얼굴에 뚜렷한 이목구비, 그리고 살짝 파이는 보
조개. 해서 여정의 주위에는 늘 남자들이 들끓었던 생각도 났
다.
"결혼은 했구?"라고 하자 여정은 "두번...다 그만뒀지 뭐 "라며
두번의 이혼을 에둘러 말한다.
그럼 애두 있을 수 있는데....은희는 생각하다 그리 가까운 사이

도 아니고 해서 더는 묻지 않기로 한다. 그리고는 남은 시간, 둘은 까페를 나와 여정의 바람대로 모교 교정을 한바퀴 돌고 근처 이탈리안 레스토랑에서 파스타를 먹고는 헤어졌다.

그러고 들어온 은희는 처음 해보는 의류며 잡다한 생활용품을 파는 전자상거래에 정신 없는 나날을 보낸다. 그런데 어느날 여정으로부터 자기가 이번에 귀국해서 어린이 수영 교실을 오픈하는데 투자를 하라는 전화를 받게 된다. 생계 때문에 시작한 온라인가게를 꾸리기에도 벅찼고 거기서 나오는 수입이란 게 겨우겨우 입에 풀칠을 하는 정도라 은희는 정중히 거절을 하였다.
"하긴, 옷팔아서 무슨 돈이 남겠니"라며 여정은 더 이상 청을 해오지 않았다.

그리고는 한달 후, 여정은 수영교실을 열었으니 한번 와보라는 전화를 해왔다. 돈이 있으면서 내지는 융통할 다른 사람이 있었으면서 왜 하필 자기한테 그런 얘기를 했던 걸까, 은희는 조금은 기분이 상하지만 더 이상 채근하지 않았으므로 그 일은 거기서 접기로 하고 오전 11시에 거래처에 발주를 넣고 자신의 차를 급히 몰아 여정이 수영 교실을 냈다는 삼양동으로 향한다. 대단지 아파트 근처라 망하진 않겠다...

그렇게 다시 마주하자 여정은 "넌 결혼 안해? 너도 갔다온 거야?"라며 짓궂게 웃으며 물어본다 은희는 이혼녀는 아니었다. 그러나 부부처럼 살다시피 한 남자가 있었다. 동거를 1년 넘게 했던 그가 어느날 다른 사람이 생겼노라며 홀연히 집을 나간 뒤 그가 빠트리고 간 그의 담배 파이프를 물끄러미 보다가 흑

혹 울던 기억이 났다. 그는 어느날 문득 담배 파이프를 사달라고 졸랐다. 그래봐야, 1,2만원대라 은희는 그 자리에서 곧바로 온라인 주문을 해주었다. 왜 갑자기 레트로? 했더니 뽀대나잖아,라고 대답을 했다.

그 이야기까지 여정에게 할만큼 친하지도 않고 해서 은희는 그냥 '아직'이라고만 답을 한다.
"우리 성인 취미반도 열거야. 너 , 나한테 수영배워라. 할 줄 알아?"라고 그녀가 물어온다.
물 자체를 무서워하는지라 남들은 망망대해를 바라보면서 좋아라 환호성을 질러대도 은희는 그 거대한 검푸름이 무섭기만 하였다.
"봐서..."라며 그날은 그렇게 헤어졌다.

그러다 병원에서 정기검사를 받은 은희가 혈압, 당뇨, 고지방 모두 경계 수치가 나왔다며 운동을 권유받게 되었고 '그중에서 수영이 제일 좋다'라는 이야기를 주치의에게 듣고는 '그럼 여정이한테 가봐?'라는 생각을 하게 되었다. 그리고는 여정에게 연락을 해서 일반 회원의 60%만 내고 등록을 하게 되었다. 여정의 말에 의하면 어린이반은 젊은 강사가 맡는다며 자신이 성인반을 맡게 되었다고 한다. 그렇게 따로 직원을 둘 정도면 왜 돈을 빌려달라고 하였을까, 그게 다시 의아하다. 그러자 여정은 자랑하듯 두번째 남편이 홍콩 사업인이었고 벌이가 꽤 괜찮았다는 말을 해댄다. 은희는 여정의 속내를 알 수가 없다. 그말인즉슨 위자료나 재산분할 명목으로 받은 돈이 어느정도 있음에도 자신에게 돈을 요구했다는 것이고 그건 여정 본인의 돈은 쓰지 않으려고 했다는 얘기다. 은희는 괜히 등록했다는 생각이 든다.

그렇게 은희는 새벽 성인반에 나가 여정의 지도하에 잠수부터 배운다. 처음엔 다 물먹는 거라면서 여정은 봐주는 것 없이 그녀를 물속에 처박곤 했다.
"야 살살해...코에 물 다 들어갔잖아"라고 하면 여정은 깔깔 웃으며 "그럼 손도 안대고 코 풀려고 했니"라고 하였다.
은희는 운동신경이 그닥 무딘편이 아니어서 제법 빠르게 진도를 뺐고 그렇게 잠수를 비롯한 기본기를 익힌 뒤 자유형에 들어갔다. 자유형 동작을 처음 배우고 풀에서 나오는데 여정이 "우리 점심 같이 할까?"라며 제안을 해왔다.

"성규? ...아, 걔, 체육과 애"라고 은희가 대답을 하자 순간 여정의 눈빛이 반짝인다. 그러더니 "지금도 연락해?"라며 조심스레 물어온다.
"아니...학교때 몇번 만나서 술 먹은 게 다지..지금 우리가 마흔이니까..몇년이니 그게"라고 은희가 대답을 하자, 여정은 남은 파스타를 뒤적뒤적한다.

그렇게 헤어져 집에 온 은희는 남는 시간에 '이성규'로 sns를 뒤져보기로 한다. 그저 '썸'을 좀 타다 만 사이라 깊은 사연은 없지만 그래도 자신에게 잘해준 남자이기에 지금까지 싱글이라면 ,하는 일말의 기대감이 아주 없지도 않았다. 하지만 '이성규'라는 이름 역시 흔하다면 흔해서 한참을 찾다가 포기할 무렵 영문으로 그 이름이 떠 있어 한번 클릭하고 신상정보를 보니 그가 맞았다. sns에서 다시 만난다는 게 이런거구나 하면서 은희는 곧바로 dm을 보내 자신을 기억하냐고 물어왔다. 그러자 그날밤 성규로부터 역시 dm이 날아와 둘은 곧바로 전화통화를 하였다. 성규는 현재 쌍둥이 아빠로 잘 지내고 있었다. 괜한 오지랖을 부렸나,하면서도 은희는 살갑게 자신을 반겨주는 옛동창이 있다는게 고맙고 신기하였다.

그 주말 오랜만에 성규와 마주한 은희는 그에게 슬쩍 여정을 언급한다.
"너, 우리 학과 여정이라고 기억나니? 왜, 예쁘고 키도 크고"라고 하자
"우리 과에도 걔 좋아한 애 많아.."라는데 그가 좀 복잡한 얼굴이 된다.
"왜?"라고 은희가 묻자,
"이런 말 뭐하지만, 거의 20년전 얘기지만, 걔좀그랬어"라며 성규는 더 이상 말하기 싫어하는 눈치다. 은희는 성규가 자신을 만나는 동안 여정과 모종의 일이 있었다고 느끼지만 그렇다 해도 그게 얼마전 일인가,하고 덮으려는데,
"걔, 나한테 좀 끈질겼어. 너하고의 관계를 모르는 것도 아니면서..."라며 말끝을 흐렸다...
그랬구나..라는 생각에 은희는 여정의 이야기는 더이상 하지 않기로 하고 성규의 쌍둥이로 화제를 돌렸다. 그러자 성규는 자기도 결혼이 좀 늦은 케이스라 아이들이 아직 어려서 여간 이쁘고 귀여운게 아니라면서서 얼굴이 환해진다.

다음날 은희는 조금은 찜찜했지만 어차피 돈도 냈고 오래전에 성규를 좀 쫓아다닌 게 뭐 대수랴싶어 시간에 맞춰 여정의 강습소로 향한다. 그날따라 비가 오려는지 날이 후덥덥하고 기분이 별로 좋지를 않았다.

그렇게 도착한 풀 밖에는 먼저 와서 몸을 풀고 있는 여정이 보인다.

"미안 늦었어"라며 급히 수영복으로 갈아입고 빠르게 다가오는 은희를 여정이 섬뜩하게 쳐다본다. 전에 없던 눈빛이라 그녀는 움찔한다.

"얼른 하자"라며 여정이 예의 다이빙 실력을 발휘해 멋지게 입수를 한다. 그 모습이 마치 한마리 인어같다고 은희는 생각한다. 그리고는 여정처럼은 아니어도 비슷하게 흉내를 내면서 은희도 물에 뛰어든다. 그렇게 서툴지만 앞으로 나아가기는 하는 자유형으로 그녀가 꽤 수심이 깊은 곳까지 왔을 때 옆에서 은희를 잡아주던 여정의 손이 떨어져 나갔다. 당황한 은희는 발버둥치며 물 깊이 가라 앉았고 그 순간 은희는 분명히 보았다. 물 밖 여정의 입가에 번지던 미소를.

"여정아...여정..."하다 은희는 의식을 잃고 만다.

병원 응급실에서 은희가 눈을 떴을때는 잔뜩 걱정스런 얼굴로 여정이 곁을 지키고 있다.

"야, 너 수영오지마 . 그리고 정밀검사좀 받아보고"라며 물한컵을 내민다

마지못해 그걸 받는 은희의 손이 수전증 환자처럼 덜덜 떨려온다.

<겨울여자>

헤어진 후에도 거의 매일 그의 메시지를 기다리고 sns로 그의 행적을 찾았는데 막상 그에게서 연락이 오니 가슴이 쿵 내려앉는다. 은정은 한동안 끊었던 담배 한개비를 반쯤 태우고 그의 메시지를 다시 읽는다.

"나 오늘 입원하는데 보호자는 너로 쓸거다"
영준은 그렇게 딱 한줄만 보내왔다. 헤어진 게 언젠데 여태 은정을 보호자로 쓴다니...그녀는 어처구니가 없으면서도 설레는 걸 감출 수가 없다.

하지만 그가 준 상처의 기억이 아직도 생생한데 달랑 메일 한줄에 그에게 달려갈 수도 없는 노릇이다...

그는 심장과 눈이 나쁘다. 해서 지난여름 심장시술까지 받았고 눈은 한쪽에 피가 고여 망막에 스며들어 잘 보이지 않는다고 하였다.

헤어진 뒤에도 은정은 그의 이런 부실한 몸이 걱정되었지만 이별이란 게 무엇인가, 매일 오가던 메시지며 전화가 단숨에 끊어지는 것이기에 물어볼 수도, 알려고 해도 소용이 없었다.

그리고는 아직 버리지 못한 현관께 그의 구두를 지그시 바라본다.

"그래도 집에 남자 있는 티를 내는 게"라고 했을때 그는 단번에 알아듣고 "내 신발 갖다노라는 거지?"라며 그는 자신의 구두를 갖다 놓았다.

그것을 둘이 헤어진 뒤에도 은정은 버리지 못하고 여태 간직하고 있는것이다.

그의 말대로 자신을 '보호자'로 기입하면 병원에서 한번쯤은 확인차 전화가 올것이고 그때 뭐라고 대답을 하나 , 곰곰이 생각한다. 이번이 어쩌면 서로의 어긋남과 갈등을 봉합할 기회라는 생각이 드는 한편, 그로부터 진심어린 '사과' 한마디 듣지 못했다는 사실이 떠올라 그녀는 갈팡거렸다.

그리고, 만약 병원에서 둘이 재회를 하게 되면 뭐라면서 말을 꺼낼까? 그는 절대 손해보지 않는 타입이라 먼저 손을 내미는 시늉은 하지 않을 것이다. 그러므로 이런 식의 '통보' 방식을 자주 사용한다. 에둘러 '이렇게 하겠다'내지는 '이래도 되냐?'는 뜻인데 은정은 딱히 뭐라 대답을 할 수가 없다.

그러고 있는데 전화벨이 울린다. 개인별 컬러링이 아닌 상용벨 소리여서 단박에 병원전화임을 그녀는 감지한다. 아닌게 아니라 발신번호 밑에 조그맣게 's 대학병원 간호사실'이라고 표기가 돼있다 . 그냥 수신 거부를 눌러버리면 된다는 생각과 그와의 화해, 재결합을 바라는 두가지 생각이 다시 그녀를 괴롭혔지만 그녀는 마침내 받는 쪽을 선택했다.

"이은정씨죠? 여기s대학 병원 간호사실인데요, 하영준씨 보호자 되시죠?"라며 상대는 숨도 쉬지 않고 말을 한다.뭐라 답을 하나 은정이 고민하는데 그걸 상대는 긍정의 의미로 해석했는지 "내일 시술 받으실 게 있는데 보호자 사인이 필요해요. 오실 때 신분증 꼭 갖고 8층 간호사실로 오세요"라며 일방적으로 전화를 끊는다.

헤어진 여자를 '보호자'로 떡하니 기재한 영준도 이해가 안 되지만 상대의 신원도 확실히 파악되지 않은 상태에서 오라가라 명령하는 병원 측의 행동거지도 수긍하기가 어려웠다.

그렇게 꺼진 전화창을 물끄러미 보던 은정은, 일단은 영준을 보기로 한다. 서로 언성이 높아지더라도 일단 보고 이야기하기로 한다. 그리고는 다음날 입고 갈 옷을 미리 꺼내 놓는다.

마침 집 앞에 빈 택시가 손님을 기다리고 있어, 이것도 운명인가 보다,하고 그녀는 택시에 올라 s대학병원으로 가달라고 말한다. 워낙 유명한 병원이라 기사는 따로 네비를 치지도 않고 차를 몰기 시작한다.

흔들리는 차 안에서 은정이 화장이 잘 됐나 보려고 가방에서 콤팩트를 꺼내자 기다렸다는듯이 기사가 룸미러로 그녀를 쏘아보며 '차 안에서 화장 안됩니다'라고 엄포를 놓는다. 네...하고 그녀는 서둘러 콤팩트를 다시 가방 안에 넣고는 고개를 창밖으로 돌리니 눈발이 날리기 시작한다. 바람도 좀 불고 있어 눈발은 마구잡이로 날아다닌다 그녀의 마음처럼.

택시는 거의 막힘없이 질주해 30분도 지나지 않아 영준이 입원한 s대학병원 입구에 와서 멈춘다. 카드로 요금을 지불하고 차에서 내린 은정은 옷 매무새를 다시 확인하고 회전문을 밀며 안으로 들어간다. 그리고는 빠르게 내려오는 엘리베이터 앞에 이르러 상향 버튼을 힘주어 누른다. 이제 곧 그와의 재회가 이루어진다 생각하니 가슴이 쿵쾅거리기 시작한다.

엘리베이터는 5층에서 잠깐 멈추는가 싶더니 이후는 논스탑으로 1층 은정 앞에서 멈추더니 양쪽문을 활짝 열고 몇사람을 토해낸다. 그들이 다 내리고 은정이 한 발을 들이는데 , 이게 맞는 걸까,하는 생각이 스친다.. 사과 한마디, 안부 한마디, 제대로 묻지도 않고 병원으로 불려오게 한 영준의 행위가 정당한가, 그녀는 갈등하다 엘리베이터 안의 발을 다시 거둔다.

그리고나서 은정은 면회라운지 빈 자리에 가서 살며시 앉는다. 그러다 자기도 모르게 화장을 고치고 있는걸 깨닫고는 흠칫 놀라 얼른 콤팩트를 닫아 가방에 쑤셔넣 는다. 내가 지금 뭘 하고 있는거지? 하고 그녀는 벌떡 일어나 돌아가겠다 결심하고 회전문을 향해 나아가다 다시 멈칫한다. 그리고는 아까의 엘리베이터에 눈을 준다. 기계는 또 일군의 사람들을 내려놓고 있다. 그래, 한번은 보자...이야기라도 들어보자, 이게 그가 취한 화해의 방식일 수 있다,는 마음에 그녀는 엘리베이터에 오르고 문을 닫는다.. 기계는 빠르게 논스탑으로 8층에 그녀를 내려놓는다.

저만치 간호사실이 한눈에 들어온다. 간호사들의 분주한 업무가 그대로 감지된다. 그녀는 천천히 걸음을 그쪽으로 옮긴다. 그러자 다가오는 은정을 본 한 간호사가 "어떻게 오셨나요?"라고 묻는다. "보호..."하는데 그녀의 가슴에 둔중한 통증이 인다. 그 바람에 그녀가 가슴께를 움켜쥐자 상대는 "어디 편찮으세요?"라며 물어온다. "아뇨...층을..잘못 왔네요"하고 그녀는 서둘러 몸을 돌려 엘리베이터를 향해 달려간다. "저기요"라며 그녀를 부르며 쫓아오는 간호사의 목소리가 그녀의 귓가에서 에코가 돼버린다.

엘리베이터는 내려오다 중간에 멈춰 한참을 서 있는다. 뒤를 돌아본 은정은 간호사와 서너 걸음밖에 거리가 안 나있는 걸 보고는 옆의 비상구문을 힘껏 열어젖힌다. 그리고는 계단을 빠르게 뛰어 내려간다. 평소에는 계단을 무서워하고 싫어했지만 그날만은 그럴 여지도 여유도 없었다.

그렇게 1층에 도착해 출입문으로 가는데 조금전 흩날리던 눈발이 꽤 굵어져 있는게 보인다. 순간 그녀의 가슴에서 통증이 사라지는게 느껴진다.

꼭 이런식이 아니어도 다른 방법도 있을 거야 그와 재회하는 건...하면서 그녀는 회전문을 열고 나와, 줄 서서 손님을 기다리고 있는 택시들을 지나쳐 병원 밖으로 나선다. 좀 걷고 싶다...

아마도 이 겨울 끝무렵, 아니면 초봄에...라며 그녀는 그와의 재회 시기를 점쳐가며 지하철 역까지 걷기로 한다.

<두려운 마음>

하필 민수에게 바람을 맞은 날 주영은 인사동 거리를 헤매다 민기의 전시회와 맞닥뜨린다. 작은 규모지만 꽤 인지도가 있는 화랑에서 그가 개인전을 열고 있다.

오래전, 그와 온라인에서 우연히 채팅을 하다 만나 두어번 술까지 마셨고 그는 적극적으로 대쉬해왔지만 그당시 민수와 이른바 '썸'을 타던 시기였고 그것조차 잘되지 않아 피곤함을 느끼던 차라 그렇게 다가오는 민기가 버겁고 조금은 귀찮았다.

그는 세번째 만난 날 "우리 결혼, 어때?"라며 청혼을 하였고 주영은 어이가 없었다. 서로 알면 얼마나 안다고, 손 한번 잡지 않고 서로의 감정도 살피지 않은 채 그런 말을 해대는 그가 너무 경솔하다는 생각을 했다.

그러고나서 민기는 주영이 묻지도 알고 싶지도 않은 자신의 치부라면 치부인 첫결혼, 아니, 지난 동거와 굴욕적인 그 끝을 이야기했다.

"둘이 좋아 사는데 어느날 장인이, 그러니까 예비 장인이 들이닥쳤어. 그러고는 당장 자기 딸과 헤어지라는 거야. 시간강사나 하는, 그것도 그림이나 그리는 녀석에겐 자기 딸을 줄 수 없다고 하는거야. 나는 거의 빌다시피 했지만 그 노인의 노기는 누구도 막을 수 없을 정도로 대단해서 결국 우린 헤어졌지. 그리고는.."까지 이야기한 그가 커피를 한 모금 마시면서 시간을 벌더니 이야기를 마무리한다.

"두달쯤 지난 어느날, 그녀가 내게 전화를 걸어왔어. 같이 병원에 좀 가달라고.,..."그렇게 자기와 그녀의 아이는 저세상으로 갔다며 그는 젖은 눈가를 냅킨으로 꾹꾹 눌렀다.

그의 이야기를 들으면서 딱하다는 생각은 들었지만 그것이 연애 감정은 아니어서 주영은 분명하게 자신의 의사를 밝혀야 한다는 생각에 단번에 '노'라고 대답했다. 그러자 그는 사뭇 당황한 표정을 짓더니 고개를 절레절레 지었다. 그리고는 "다신 볼 일이 없겠구나"라며 먼저 까페를 나갔다. 그로부터 흐른 세월이 얼마던가....

그동안 그는 모대학 미술학과 조교수가 돼있었고 결혼도 한 걸로 주영은 알고 있었다...

어찌됐든 자신에게 마음을 듬뿍 주었던 사람이기에, 비록 끝은 안좋았어도 그래도 한번쯤은 만나보고 싶다는 생각을 가끔은 하였다. 그래서 이따금 포털에서 그의 이름이며 관련 기사를 검색하곤 했는데 우연히 그의 전시회와 맞닥뜨린 것이다. 하필 민수에게 바람을 맞은 그날...

민기, 민수...자기는 '민' 자 들어가는 남자들과 인연이 있나 보다 생각이 든다. 그리고는 들어서며 방명록에 이름을 적고 그는 천천히 그의 그림들을 감상한다. 그의 전시회 주제는 '뤼미에르'였고 그게 '빛'이라는 것쯤은 주영도 알고 있었다. 불문학도 시절, 그녀는 대학원에서 미술사를 전공하고 싶어 할 만큼 미술에 관심이 많았다. 그러나 그건 어디까지나 '서양화' 그것도 '인상파'에 국한되다시피 했기 때문에 민기가 '동양화전공' 이라는 얘기를 했을 때 그녀는 시큰둥해 하였다.

그렇게 그녀는 민기의 그림을 감상하며 혹시 작가인 그와 마주 칠지도 모른다고 기대했지만 그날 민기는 화랑에 나오지 않았 거나 시간이 엇걸렸거나 하였다. 게다가 화랑에 관람객이라곤 달랑 자기 하나뿐이어서 만약 그가 그림만으로 먹고사는 사람 이었다면 굶어 죽었으리라는 생각까지 들었지만 그는 이제 엄 연히 대학교수가 돼있다.

일단 방명록에 자기 이름' '강주영'을 남겼으니 그가 혹시 연락 이라도 해올까 싶어 그녀는 그날 이후로 한동안 그의 전화를 기다리기도 하였다..
그러는 동안, 민수와는 이런저런 굴곡을 겪으며 점점 멀어져갔 고 뒤늦게 그가 양다리 연애를 해온걸 알게 되면서 완전히 끝 이 났다.

그런데 이상한 것은, 오래 알아온 민수와의 이별인데도 그리 마음이 아프지 않고 오히려 홀가분하다는 것이었다. 그것은 둘 이 한창 갈등이 깊을 무렵 서로에게 해댄 폭언들과 서로의 마 음에 낸 상처 때문이라고 생각하고 미련을 갖지 않기로 했다.

그러고 있는데, 어느날 민기로 부터 전화가 걸려왔다.
"혹시 내가 전에 알던 이주영?"이라며 그가 조심스레 물어온다.
그말에 주영은 쿡, 하고 웃음부터 나온다.
"나말고도 이주영을 또 만났나 보네"라고 하자 그쪽은 긴장이 풀렸는지 하하, 하고 웃는다.

그리고는 서로의 안부를 간단히 묻고 그 다음날 그가 재직중인 대학 근처 까페에서 만나기로 약속을 잡는다.

그렇게 오랜만에 마주하자, 둘은 어릴적 친구라도 만난 양 반갑다.

그는 주영과 헤어진 뒤 지금의 아내를 만나 아이 둘을 낳고 그 아이 둘 다 미술을 하고 싶어한다며 은근 자식 자랑을 늘어놓는다. '피는 못속이나 봐'라며 그가 연신 방글댄다..

"넌 여태 혼자야?"라고 그가 자리를 호프집으로 옮긴 뒤 물어온다.

"오래 좋아한 사람이 있었는데...바람이 났드라구."하자

"저런"하며 그가 끌끌 혀를 찬다...

"실은..나,..."하다 그가 말을 끊는다. 주영은 잘린 부분의 말이 궁금하지만 그럴만 했으니 그러리라 생각한다.

"난 요즘...일만 해...꽤 재밌어. 북까페"라고 하자,

"그거 해서 먹고 사냐?"라며 그가 걱정스러운 표정을 짓는다.

"굶지는 않아 , 최소한 아직은"이라며 그녀가 웃는다.

예전에 이 남자의 청혼을 받아들일 걸,하는 후회가 살며시 밀려들지만, 그리 되지 않았기에 지금처럼 편하게 마주 할 수도 있다는 생각도 동시에 들었다. 남자 여자는 이성으로 얽히면 모 아니면 도라는 결론을 그녀는 민수와의 일로 충분히 체득하였다.

"언제 우리 학교 와라. 내가 구경시켜줄게. 구내식당 밥이 꽤 괜찮아"라고 그가 슬쩍 학교 자랑을 하는데 이마에 뚜렷하게 주름 두줄이 잡힌다. 우리도 다 이렇게 늙고 있구나, 하는 생각이 그녀의 마음을 복잡하게 만든다...이제 젊음은 다 가버렸

어,..

그러고 있는데 "실은 그때 내가 너한테 청혼하면서 이야기하지 않은 게 있어"라고 그가 어렵게 말을 꺼낸다. 주영이 궁금해하는 표정을 짓자 "궁금하니?"라고 물어 온다.

자신에게는 아버지가 둘이 있다고 그가 말한다. 물론 하나는 생물학적 아버지고 또 다른 아버지는 어머니가 외도를 한 상대라고. 그런데 그 외도한 상대와의 사이에 아들을 낳았다고..그 이름이, 하는데 그녀는 가슴이 철렁 내려앉는다. 설마,하면서도 그를 찬찬히 살펴본다. 뚜렷한 이목구비, 남자치고는 가늘고 긴 목, 그리고 적당히 도톰한 입술, 전체적으로 꽤 준수한 외모... 게다가, 게다가 키까지...민수와 비슷하다...

"혹시, 그 이복동생 이름이?"
"응? 그게 왜 궁금해?"
"아냐..."하며 그녀는 급히 들어가봐야 한다며 그 자리를 떠나 자신의 북까페로 차를 몬다. 아닐거야...설마 아닐거야...하다가, 언젠가 민수가 자신에게 "형이 하나 있는데...배가 달라"라고 했던게 떠오른다. 드라마도, 소설도 아니고, 그럴 리 없다고 생각하려 하지만 지금 생각하면 둘이 닮아도 너무 닮았다는 생각에 그녀는 접촉사고를 내고 만다. 그것도 상대는 고가의 외제차였다.

그날 그렇게 큰 돈을 쓰고는 터덜터덜 까페를 들어서는데 저만치 '민수'가 아니 '민수인 듯한 남자'가 등을 보이고 혼자 앉아 있다.
아니겠지, 하며 그녀가 달아난 정신줄을 잡으려고 하는데 아르바이트생이 다가와서 "저, 사장님 기다리는 분인데.."라며 등을 보이고 있는 남자를 가리킨다. 그녀는 떨어지지 않는 발을 질 질 끌다시피 해서 그의 앞으로 간다. 민수였다. 지금 보니 민기 와 쌍둥이라고 해도 과언이 아닐 정도로 너무나 닮아있다...

"아니지?"하고 그녀가 앞뒤를 잘라먹고 물어대자 민수는 "뭐?" 라고 어리둥절해한다.
"당신, 이복형제 이름이..."하는데 그때 전화벨이 울린다. 조금 전 헤어진 민기였다.

만약 민수와 민기가 이복형제라면, 하나는 자신에게 청혼을 하 였고 또 하나는 결혼까지 약속했던 남자다...그 사이에서 '나는 뭐였을까'라는 새삼 존재론적 고민에 빠져드는데, 울리던 전화 벨이 끊어진다.

그러자 민기와 주영 사이에 어색한 침묵이 흐른다...
"왜 갑자기 그 형 얘기는...미술하는 사람이야"라는 말에 그녀 는 자신의 눈가에 미세한 경련이 이는 걸 느낀다. 점점 초점이 흐려지는 그녀의 눈을 보며 그가 말한다."나, 걔랑 헤어졌다" 고.

더이상 어떤 얘기도 그녀의 귀에 들어오지 않는다. 그녀는 오 늘은 그만 가달라고 민수에게 애원하듯 말한다. 그 말에 민수 는 그사이 주영에게 다른 남자가 생겼냐고 묻지만 그녀는 대답 대신 빨리 나가라고 소리를 친다. 그렇게 그를 밖으로 내몰자, 다시 전화벨이 울린다..."나 실은 와이프랑 별거중이야"라는 민 기의 말이 너무도 비현실적으로 들려온다. 그러면서 민기는 "

나 다시 생각해 줄래?"한다.

민기, 민수, 미술....더 이상은 추측조차 두렵기만 하다. 그녀는 민기의 질문에 대답을 않고 그대로 끊어버린다. 창밖에선 겨울이 끝나가고 있다. 그리고 두남자가 동시에 돌아오고 싶어한다. 겨울 끝에서...

 아닐 거야...세상에 비슷한 사람, 비슷한 직업, 그리고 비슷한 상황이란 게 있고 그 경우의 수 역시 셀 수 없이 많을 거라고 그녀는 애써 자신을 진정시킨다.

그러고는 이제는 잠잠해진 자기 전화를 물끄러미 쳐다보는데 손님이 들어오는지 유리문에 달아놓은 종이 딸랑거린다.
"어서 오"하는데 그곳에 민기가 어색하게 웃으며 서있다.
"까페 구경좀 해도 되지?"라며 그가 정신을 잃어가는 그녀에게 서서히 다가온다.

<보라카이 내사랑>

퇴근무렵이 돼서 은진은 s대 병원 응급실에서 전화를 받았다. 환자가 보호자로 은진을 댔다며 빨리 오라는 내용이었다.

이미 헤어진 여자를 보호자로 명명한 윤식이 어이없기도 하지만 그렇다고 모른척 할만큼 그에게서 마음이 떠난것도 아니기에 은진은 서둘러 회사를 나와 택시를 잡아 탄다.

응급실 구석자리에 누워있는 윤식은 링거를 서너개씩 달고 있었다. 은진이 다가가자 때마침 눈을 뜬 그가 은진을 보며 배시시 웃는다. 이 남자 뭔가...석달전에는 그렇게도 악다구니를 써가면서 자기와 싸워대고 등을 돌린 그 남자 맞는가...

"왜 그랬어 ? 가만 있어도 다 죽는데"
"살기 싫어서..."라며 그가 고개를 벽쪽으로 돌린다.
"나 봐"라며 은진이 그의 얼굴을 자기쪽으로 돌려놓는다.
"한번만 더 이러면 , 보호자 아니고 보호자 할아버지라고 대도 나 안온다"라고 말하는데 은진의 눈에 눈물이 글썽인다.

윤식은 '죽고싶다'는 말을 입에 달고 살았다. 코로나로 사업이 휘청거리면서부터 그는 은진을 불통하게 대했고 대놓고 돈을 요구하기 시작하였다. 월급장이인 은진으로서는 감당할 수 없는 그런 큰돈을. 처음 한두번은 대출이니 지인들로부터 융통을 해서 주었지만 그런 요구가 계속되는 데야 관계 자체를 이

끌어나갈 수가 없었고 둘의 갈등은 급기야 서로의 인신공격으로까지 번져 헤어졌다. 그러면서 윤식이 마지막으로 내뱉은 말이 "나 죽어버릴거야!"였다. 그리고는 석달만에 수면제 과다복용으로 이렇게 응급실로 실려 와서는 은진을 달려오게 만든 것이다.
"한번만 더 이러면 죽인다 내가!"라며 그녀가 눈을 흘긴다.
"밥은 먹었어?"
윤식은 뜬금없이 밥타령을 한다.

그러나 퇴원후 한동안 잠잠하게 지내는가 싶던 윤식은 또다시 '죽고싶다' 메시지를 빼곡하니 보내왔다.
정신과에 가보라는 은진의 말에도 '내 병은 그런데서 고쳐질게 아냐'라고 묵살하고는 옥상에서 투신하는 게 나을까 , 손목을 긋는게 빠를까 따위의 말들만 쏟아냈다.

처음에는 어떻게든 그를 달래야 한다는 마음에 은진은 업무를 보는 짬짬이 그에 대꾸했지만 어느 순간부터는 진력이 나기 시작했다.
그래서 그녀는 오늘은 정말 '결판'을 내야겠다는 마음으로 퇴근후 그의 집으로 향했다.

"어? 왔네?"라며 파자마 차림의 윤식이 피자를 우걱우걱 씹으며 그녀를 맞는다.
익숙한 거실에 들어서면서 은진은 약병 하나를 들이민다. 뭐야, 라며 그가 받아들자 '청산가리'라고 대답한다.
그말에 윤식의 얼굴이 파리하게 변한다.

"그렇게 죽고 싶으면 지금 다 마셔"라고 하자

"야..."라며 그가 슬쩍 약병을 내려놓고 그녀를 안으려 한다.
"미워 정말..."하며 그녀가 윤식을 밀어내지만 그의 힘을 당할
재간이 없다.

"정말 청산가리야?" 레벨이 안붙어있잖아..
"몰라"라며 윤진은 벽을 향해 돌아눕는다.
"우리 결혼하자"라며 윤식이 그녀를 다시 돌려 눕힌다.
결혼....만난지 5년. 지인의 소개로 알게 된 둘은 여러번의 헤어
짐과 재회를 반복하며 오랜 부부인양 그렇게 살아왔다.

"맨날 죽고싶은 남자랑 뭐할러 결혼해?"
"나, 작게 여행사 하나 하고 싶다"
"그래서..또 그 돈 대라고?"
"야...왜 그래..."라며 윤식이 그녀를 다시 안아온다.

그리고는 예상대로 그날 이후로 그는 여행사 타령을 줄창 해대
며 그 일을 하기 위해 태어난 사람처럼 조급하게 굴기 시작했
다. 이제 펜데믹도 끝났고 분명 비전있는 분야라며 어떻게든
이번엔 돈을 벌어보겠다고 호언장담을 해댔다. 문제는 그 기반
자금을 은진이 대야 한다는 것이지만.

"니 집좀 잡혀라"
그는 너무나 태연하게 이야기한다.
"너 그래도 집이나 있지" .

은진의 집은 부모가 물려준 유산이었다. 은진은 집만은 안된다고 여러번 이야기하였지만 윤식은 아예 작정을 한 듯싶다.

"나 왜 다시 만나는 거야?" 은진은 둘의 관계 자체가 의심스러워진다.
"니가 좋으니까"
"내 돈이 좋은거 아니구?"라고 하자 윤식이 다시 결혼이야기를 꺼낸다. 너 나랑 살거야 안살거야...

다음날 새벽 윤식의 집을 나서는 은진은 이젠 결심을 해야 할 때가 왔다고 생각한다. 그리고는 이른 아침 마침 빈 차로 나가고 있는 택시를 잡아탄다. 그렇게 택시는 새벽공기를 가르며 30여분을 달려 은진의 집에 도착한다.

응급실로 헐레벌떡 들어서는 윤식의 얼굴은 파리하게 질려있다. 저만치 구석 자리에 누워있는 은진은 이제 겨우 의식이 돌아왔는지 초점없는 눈으로 그를 맞이한다.

"왜 그랬어. 니가 왜 죽어"라는 그의 말에 "살기 싫어서"라고 그녀가 말한다.
그말에 윤식이 고개를 떨구고 흐느낀다...내가 잘못했어...너를 푸시하는게 아니었는데...

윤식은 자기 여행사의 상품을 자신이 직접 체험해봐야 한다며 보라카이로의 신혼여행을 우겨댔다. 은진은 회사가 한참 바쁠 때라 그냥 제주도나 하루 갔다 오자고 하였지만 윤식은 양보하

지 않았다. 해서 둘은 필리핀으로 향하는 비행기에 올라탔고
서로 '한번만 더 그럼 죽어버린다'며 서로를 협박했다...

"여기 보라카이에 지점 하나 내면 어떨까?"
그말에 은진은 스튜어디스가 방금 주고간 주스를 뿜어낸다.
"죽을래?"

페이크

발 행 | 2024년 2월28일
저 자 | 박순영
펴낸이 | 로맹
펴낸곳 | 로맹
출판사등록 | 2023.12.14
주 소 | 서울특별시 성북구 보국문로 30길15
이메일 | jill99@daum.net

ISBN | 979-11-986265-9-2

www.romainpublish.modoo.at